ビジネス・暮らしに活かせる ChatGPT・生成AI活用アイデア大全

松村雄太
Yuta Matsumura

イースト・プレス

はじめに

　本書は、近年急速に注目を集め、普及が進んでいるAI、特に生成AIを誰でも気軽に活用していただくための本です。

　「AI」というとITに詳しい人じゃないとわからないか、結局使い物にならないという印象をお持ちの方も多いと思います。しかし、文章を生成するChatGPTやBard、画像を生成するMidjourneyやStable Diffusionはそのようなある意味"過去の"常識を覆しました。これらの生成AIツール・サービスは、あなたもお馴染みのLINEが使えるのであれば、それほど苦労なく使えるようになるでしょう。

　新しいサービスを使い始めるときは難しく感じることもありますが、本書をご覧になりながら試してもらえれば、きっと良い意味で期待を裏切られます。「AIって、こんなに簡単に使えて、すごいことができるのか」と。

　一方、このような簡単なツールも使えない場合、使いこなせる人と使いこなせない人の差はどんどん開いていってしまうでしょう。現在LINEが使えないと、「え、LINE使えないの!?」と思われてしまうように、近い将来、「え、ChatGPT使えないの!?」とびっくりした顔でいわれてしまうかもしれません。デジタルデバイドの先を行く「生成AIデバイド」が進みそうです。

　せっかく本書に興味を持ったあなたにはこのような思いをしてほしくないので、ぜひ興味のある箇所だけでも見て、ものは試しに実践してみてください。

　本書はまだ生成AIについてよくわからない方でも楽しんでもらえるように、できるだけとっつきづらい専門用語や言い回しを避けています。インターネットを使う際にインターネットを構成する技術を学ぶ必要がないように、生成AIを使う際にAIの小難しい仕組みを学ぶ必要はありません。単に"便利に"使いこなせればいいのです。

　なお、本書では生成AIを中心に紹介していますが、生成AIとはいえないそれ以外のAIツールも、興味深いものがあれば紹介しています。ぜひ様々なAIツールに触れてみてください。

　ぜひ本書とともに、可能性が溢れるAIの世界を堪能してみてください！

松村雄太

Chapter ④

SNS・副業アイデア

Chapter ⑤

ビジネス活用アイデア

Chapter 6

クリエイティブ・創作アイデア

Chapter

1

AIとは
いったい
何か

Chapter 1

01 生成AIの衝撃

◉「Before 生成AI」と「After 生成AI」

　生成AIは世界中に大きな衝撃をもたらしました。文章でも画像でも音声でも、人間が作成したのかと間違えるほどのクオリティーのコンテンツを、AIが短時間で生成できるようになったからです。

　生成AIが広く知られる前の「AI」といえば、「特定の状況下ならすごいパフォーマンスを発揮する」ものですが、「特に創作の分野においては人間には敵わない」と考えられていました。囲碁やチェスなど特定の競技や状況下において人間はAIに敵わなくなってきたものの、文章を書いたり絵を描いたりする創作の場において、AIは大したことのない存在だったのです。

　しかし、生成AIの登場により今までの我々のAIに対する認識を大きく変えなければならなくなりました。「Before 生成AI」と「After 生成AI」では状況が全く異なります。長文の作成から翻訳、アイデア出しまで、ChatGPTという文章生成AIがあれば即座にこなせます。

　また、様々なテイストのイラストや、写真と見間違うような画像まで、MidjourneyやStable Diffusionという画像生成AIがあれば即座に作り出すことができます。もはや、生成AIができるようなことしかできない人は、自らの市場価値を維持するのが難しくなりました。

◉ ChatGPTをはじめとする生成AIの衝撃

　世界トップクラスの投資銀行ゴールドマン・サックスが「生成AIは3億人分の雇用に影響を与える可能性がある」と述べているように、今回紹介する生成AIは私たちに非常に大きな影響を与えています。

　事実、アメリカのOpenAI社が2022年11月30日に公開したChatGPTは、猛スピードで世界中に広がり、公開4日後の12月4日には利用者が世界で100万人を超えました。さらに2か月後の2023年1月には1億人を突破したといわれています。なお、ChatGPTの浸透スピードの早さは主要SNSの浸透スピー

ドと比べるとよくわかります。例えば、ユーザー数が1億人に到達するまでに TikTokで9か月、Instagramでは2年4か月かかっています。これは大きな衝撃ですよね。

　TikTokでもInstagramでも、TikTokerやインスタグラマーとして活躍している人の多くは、可能性を感じて早めに取り組んできました。あなたも生成AIに可能性を感じるのであれば、早めに活用してみると良いでしょう。

まだまだChatGPT活用の先行者利益あり

　ChatGPTは猛スピードで世界中に広がったとはいえ、まだまだ生成AIによる影響を受けている・認識している人はそこまで多くないようです。

　野村総合研究所が2023年4月に実施した、関東に住む15～69歳が対象のネットアンケート調査によると、回答者の61.3%がChatGPTを認知し、12.1%が実際に利用したことがあるという結果が出ました。つまり調査時点では、10人に1人程度しかChatGPTを使ったことがなかったのです。

　このような背景もあるため、生成AIに可能性を感じるのであれば、早めに活用することで他者と差別化できます。

●ChatGPTの性年代別認知・利用率

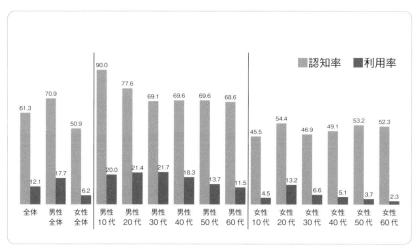

出典：野村総合研究所「日本のChatGPT利用動向（2023年4月時点）」（https://www.nri.com/jp/knowledge/report/lst/2023/cc/0526_1）

日本は生成AI先進国となる素養あり

　なお、日本は世界的にもChatGPTに関心が高いようです。Openai.comへの国別トラフィックシェアを見ると、1位アメリカ（10.6%）、2位インド（9.0%）に次いで、日本は3位（6.6%）と上位にいます。人口を考えると、アメリカやインドよりも日本のほうがChatGPTの利用度合い・興味関心が高いと考えられます。

　「日本人は大人になってから勉強しない」などといわれていますが、ChatGPTに関してはしっかり学び、仕事や日常生活に活かしたいと思う人が世界トップクラスに多いようです。この事実には大きな希望を感じます。

　生成AIの衝撃が、失われた30年を歩んでいる日本経済の大きな起爆剤となってほしいものですね。

●Openai.comの国別トラフィックシェア

順位	国	トラフィックシェア
1	アメリカ	10.6%
2	インド	9.0%
3	日本	6.6%
4	インドネシア	3.6%
5	カナダ	3.2%
6	フランス	3.0%
7	スウェーデン	2.5%
8	ブラジル	2.4%
9	ドイツ	2.3%
10	中国	2.3%

出典：野村総合研究所「日本のChatGPT利用動向（2023年4月時点）」（https://www.nri.com/jp/knowledge/report/lst/2023/cc/0526_1）

Chapter 1

02 AIの歴史の振り返り

◉現在は第4次AIブーム？

　ここで一度、AI（人工知能）の歴史を簡単に振り返ってみましょう。AIの誕生は1950年代までさかのぼります。AIという概念の起源は、イギリス出身の数学者であるアラン・チューリングが執筆した論文『計算する機械と知性』（1950年）です。「機械は考えることができるのか？」という問いを、思考実験としての「模倣ゲーム」に置き換えて展開しました。

　そして1956年頃、「人工知能」という言葉が生まれたとされています。1956年、ダートマス会議において、アメリカのダートマス大学の数学教授であったジョン・マッカーシーが、人間のように考える機械のことを「人工知能」と名付けました。

　その後、冬の時代を挟みながら、第1次AIブーム、第2次AIブーム、第3次AIブームでAIの性能が大きく飛躍していきました。そして、生成AIによってAIの役割がさらに大きくなっている昨今は、「第4次AIブームである」と考える人もいます。

●AIの第1次～第3次ブームの波

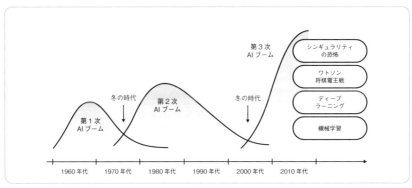

出典：アイスマイリー「AI・人工知能の歴史について年表を活用しながら時系列で簡単に紹介」（https://aismiley.co.jp/ai_news/detailed-explanation-of-the-history-of-ai-and-artificial-intelligence/）

●AIに関する進化・発展の歴史年表

年代	概要	代表的な概念・技術
1950～1960年	●アラン・チューリングがAIの起源となる概念を作る ●ジョン・マッカーシーが思考する機械を「人工知能」と命名	●チューリングテスト
1960～1974年	●第1次AIブームが到来 ●対話できる自然言語処理プログラム「イライザ」が誕生	●コンピュータの「推論・探索」 ●イライザ（ELIZA）
1974～1980年	●AIの性能が科学者間で疑問視される ●研究支援が滞りブームが下火になる	―
1980～1987年	●第2次AIブームが到来 ●エキスパートシステムが事業に広く導入され始める ●ディープラーニングの基本となる「誤差逆伝播法」が発表	●エキスパートシステム ●Cyc（サイク）プロジェクト ●誤差逆伝播法
1987～1993年	●エキスパートシステムの性能的な限界によりブームが下火化	―
1993～2022年	●第3次AIブームが到来 ●機械学習を応用した技術の実用化が進む ●ビッグデータによるデータの蓄積が加速化 ●産業へのディープラーニングの導入が進む	●機械学習 ●ビッグデータ ●ディープラーニング

出典：アイスマイリー「AI・人工知能の歴史について年表を活用しながら時系列で簡単に紹介」（https://aismiley.co.jp/ai_news/detailed-explanation-of-the-history-of-ai-and-artificial-intelligence/）

Chapter 1

03 AIは人間の仕事を奪うのか？

◎ 2015年に出された推計結果

　以前から、「AIによって人間の仕事は奪われる」という論調がありました。野村総合研究所と英オックスフォード大学による共同研究で出された推計結果によると、10〜20年後に日本の労働人口の約49％が就いている職業が、人工知能やロボットに代替されうるとの結果が出ています。この推計結果が出たのは2015年のことなので、そろそろこの予測の答え合わせができますね。

◎人工知能やロボット等による代替可能性が高い100種の職業

IC 生産オペレーター	じんかい収集作業員	めん類製造工
一般事務員	人事係事務員	金属研磨工
鋳物工	新聞配達員	測量士
医療事務員	会計監査係員	郵便外務員
受付係	加工紙製造工	金属材料製造検査工
こん包工	貸付係事務員	宝くじ販売人
サッシ工	診療情報管理士	金属熱処理工
産業廃棄物収集運搬作業員	学校事務員	タクシー運転者
紙器製造工	水産ねり製品製造工	金属プレス工
自動車組立工	スーパー店員	宅配便配達員
電子計算機保守員（IT 保守員）	生産現場事務員	クリーニング取次店員
電子部品製造工	製パン工	鋳造工
電車運転士	製粉工	郵便事務員
道路パトロール隊員	石油精製オペレーター	有料道路料金収受員
日用品修理ショップ店員	発電員	レジ係
バイク便配達員	非破壊検査員	列車清掃員
AV・通信機器組立・修理工	ビル施設管理技術者	計器組立工
自動車塗装工	ビル清掃員	駐車場管理人
駅員	物品購買事務員	レンタカー営業所員
NC 研削盤工	プラスチック製品成形工	警備員
NC 旋盤工	プロセス製版オペレーター	通関士
カメラ組立工	ボイラーオペレーター	経理事務員
機械木工	貿易事務員	検収 検品係員
寄宿舎・寮 マンション管理人	包装作業員	検針員
CAD オペレーター	保管・管理係員	建設作業員
製本作業員	保険事務員	通信販売受付事務員
給食調理人	ホテル客室係	積卸作業員
清涼飲料ルートセールス員	マシニングセンター・オペレーター	電気通信技術者
教育・研修事務員	ミシン縫製工	路線バス運転者
行政事務員（国）	銀行窓口係	ゴム製品成形工（タイヤ成形を除く）
セメント生産オペレーター	倉庫作業員	電算写植オペレーター
行政事務員（県市町村）	めっき工	
繊維製品検査工	金属加工・金属製品検査工	
出荷・発送係員	惣菜製造工	

出典：野村総合研究所「日本の労働人口の49％が人工知能やロボット等で代替可能に〜601種の職業ごとに、コンピューター技術による代替確率を試算〜」(https://www.nri.com/-/media/Corporate/jp/Files/PDF/news/newsrelease/cc/2015/151202_1.pdf)

◎高収入の職業に影響を及ぼすChatGPT

　そして2023年、OpenAIとペンシルベニア大学の研究者らは、ChatGPTがアメリカの労働市場にもたらす影響についての報告書を発表しました。この報告書では、ChatGPTが各職種のタスクにどれほどの割合で対応できるのかを分析しています。

　分析の結果、約80%のアメリカの労働者が、ChatGPTなどの大規模言語モデル（LLM）の導入によって少なくとも10%のタスクにおいて影響を受ける可能性があり、現在のモデルの能力を考慮すると、労働者の約19%が少なくとも50%のタスクにおいて影響を受けることがわかりました。

　この調査では、各職種におけるタスクがChatGPT（GPT-4）でどれほど対応できるのかを調べ、それらを「exposure（露出度）」として数値化しています。この露出度が高ければ高いほどChatGPTで置き換え可能という意味になっています。露出度が高い職業として以下のものなどが挙げられました。カッコ内はexposureレベルです。

- 作家・著者（82.5%）
- 通訳・翻訳（76.5〜82.4%）
- 調査研究者（75〜84.4%）
- 詩人・作詞家・創作作家（68.8%）
- 動物科学者（66.7〜77.8%）
- 広報スペシャリスト（66.7〜80.6%）

　また、「fully exposed」という露出度が100%の職業も下記の通り挙げられました。

- 数学者
- 税理士

- 金融クオンツアナリスト
- ウェブ・デジタルインターフェースデザイナー
- 会計士・監査役
- 報道アナリスト・レポーター・ジャーナリスト
- 法務秘書・事務補佐
- 臨床データ管理者
- 気候変動政策アナリスト

　実際のところ、これらの職業が完全にChatGPTに代替されるというよりも、ChatGPTを活用することで業務を圧倒的に効率化できる可能性が高いと考えるのが良さそうです。

　露出度が高いという結果になった職業は、一般的に高収入ですが、今後AIを使いこなせるか・こなせないかで、彼らの収入も大きく変わってくるでしょう。

Chapter 1

04 生成AI活用における注意点

◎ 著作権・商標権などの権利侵害に注意

　生成AIを活用すると、様々な画像や文章を瞬く間に生み出すことができますが、「著作権」「商標権」「意匠権」「パブリシティー権」などの権利を侵害しないように注意が必要です。生成AIを利用する際、たとえ故意ではなくとも、既存のデータ（著作物）と同一あるいは類似しているデータを生成してしまう場合があります。その生成物を利用すると、当該著作物の著作権侵害になる可能性もあるのです。特に画像生成AIを利用する際には、特定のアーティストの作品や画風を真似しないようにするのが無難です。

◎ 情報流出に注意

　ユーザーが入力したデータは、AIモデルの学習に利用されることがあります。秘匿性の高い情報を入力することで、その情報が生成AIのサービスを提供している会社や他のユーザーにも流出するおそれがあります。

　個人情報や機密情報などを扱う機会の多い人は特に注意が必要です。便利だからといって、ChatGPTなどに個人情報や業務上の機密情報を入力しないようにしましょう。

◎ 生成された内容に注意

　AIが生成した内容には誤りが含まれている可能性があります。そもそもChatGPTなどの文章生成AIでは、ある単語の次に用いられる可能性が確率的に最も高い単語を出力することで、もっともらしい文章を作成しています。そのため、もっともらしいことを自信満々で答えてくれていたとしても、その内容が正しいとは限らないのです。

　特に大事な場面でAIが生成した内容を活用したい場合は、事実かどうかチェックした上で活用することをおすすめします。

第 1 章　AIとはいったい何か

Chapter

2

生成AIの種類

Chapter 2

01 様々な種類の生成AI

◉ ChatGPT人気によって注目される生成AI

　画像生成AI人気を背景に、2023年のChatGPT人気によって「生成AI」が大きく注目されるようになりました。前述の通り、従来のAIよりも格段に使いやすく、一般の人でも仕事や日常ですぐに活用できるのが生成AIの大きな魅力です。情報感度の高い人にとって、ChatGPTや画像生成AIの基本的な機能は周知の事実となってきましたが、文章や画像を生成する以外にも様々な生成AIが注目を浴びつつあります。

◉ 本章で紹介する生成AI

　本章では、画像生成AI、文章生成AI、音楽生成AI、動画生成AI、3Dモデル生成AIについて例を用いつつ簡単に紹介します。中でも画像生成AI、文章生成AI、音楽生成AIは一般的な人が頑張って作成するよりも素晴らしい文章、画像、音楽を短時間で生成できるようになってきました。

　実際に仕事や日常で活用して恩恵を受けている人、あまりの性能の高さに危機感を覚える人もいるでしょう。「AIに仕事を奪われる」と心配する人もいますが、より現実的なのは「AIを使いこなす人に仕事を奪われる」ことです。そのため、今のうちに「AIを使いこなす人」になることをおすすめします。

◉ 今後さらに発展すると考えられる生成AI

　画像、文章、音楽生成のAIと比べて、動画、3Dモデルの生成AIによる生成物は、驚きはあるもののまだまだ発展途上という色合いが強いです。今後、これら生成AIがさらに進化し、短時間で高品質の作品を生成することができるようになれば、生成AIによる人間への影響はより大きなものとなります。

　そのため、今のうちから様々な生成AIに注目し、少しでも触れておくことで、来るべき未来が少なからず見えてくるかもしれません。

Chapter 2

02 画像生成AI

画像生成AIとは？

　画像生成AIは、自分が望む画像を作成するためのAIツールです。画像生成AIを使うには、テキストを入力し、それを元に自分が望む画像を生成してもらいます。現状では、テキストを入力してそれを元に画像を生成させること（txt2img）が一般的です。このテキストのことをプロンプト（指示文 or 呪文）といいます。

　例えばプロンプトとして英語で「cat」を入力すると、猫の画像が生成されます。さらに色や背景、感情、画風などのプロンプトを追加して具体的に指示することで、自分のイメージに近い画像を生成することができます。

　最初は少し難しく感じるかもしれませんが、慣れてしまえば誰でも簡単に活用できます。無料で使えるものもありますが、利用料や諸費用がかかるサービスもあります。代表的なサービスに以下があります。

- **Leonardo.Ai**：オーストラリア企業が提供する画像生成AIシステム。Web上で利用ができる。
- **Midjourney**：同名の研究所が開発。チャットアプリ「Discord」のコミュニティに参加して利用する。
- **Stable Diffusion**：ミュンヘン大学のCompVisグループが開発した潜在拡散モデル。Web上に構築された環境で動作させるか、ローカル環境で独自に動作させることができる。
- **DALL・E3**：ChatGPTと同じくOpenAIがリリースした画像生成AIシステム。Web上で利用できる。

画像生成AIの利用例 - Leonardo.Ai

　ここでは「Leonardo.Ai」（https://leonardo.ai/）を使って、画像を生成する手順を紹介します。以下の手順で簡単に利用することができます。

① ユーザー登録を済ませる

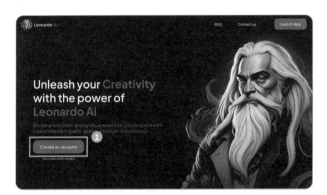

Leonardo.Aiにアクセスしたら、まず「Create an account」をクリックし ①、「Sign UP」をクリック。メールアドレスなどでユーザー登録をします。GoogleやApple ID、Microsoftなどのアカウントで認証することもできます。

② 好みの雰囲気のモデルを選択する

ログインを済ませたら、ホーム画面の「Featured Models」にある画像一覧から、自分が欲しい画像の雰囲気にあったモデルを選択してみましょう。プロンプトを入力するとこのモデルに似た雰囲気の画像を出力してくれます。

③ 選択したモデルで生成する

ここでは、ファンタジー風イラストのモデルを選択しました。続けて「Generate with this Model」をクリックします❶。

④ プロンプトを入力する

プロンプトの入力画面が表示されます。「AI Image Generation」の入力欄に、生成したい画像のプロンプトを入力していきましょう。ここでは、手書き風でかわいい魔法の鳥の画像を生成したいので、「magical bird, cute, hand-drawn」と入力しました❶。あとは「Generate」ボタンをクリックすると❷、AI画像が生成されます。

⑤ 画像が生成される

プロンプトを元に生成された画像がいくつか表示されました。自分のイメージに合う画像がなければ、プロンプトを変えて再度生成してみましょう。

03 文章生成AI

◎ 文章生成AIとは？

　文章生成AIは、自分が望む文章や質問への回答を作成するためのAIツールです。テキスト入力欄にプロンプトを入力してそれを元にテキストを生成させる方法（txt2txt）が一般的です。

　無料で使えるものが多いですが、月額使用料を支払ってより精度の高い機能を使うことができるものもあります。

- **ChatGPT**：OpenAIによる文章生成AI。文章生成、チャット、翻訳、企画検討など様々な用途で利用でき、日本語入力にも対応している。無料で使えるが、最新機能などは月額制プランでのみ利用ができる。
- **Bard**：Googleによる文章生成AI。ChatGPTと同じく、様々な用途で利用でき、日本語入力にも対応している。Googleアカウントがあれば無料ですぐに利用可能。

◎ 文章生成AIの利用例 - ChatGPT

　ここでは「ChatGPT」（https://chat.openai.com/）を使って、文章を生成する手順を紹介します。以下の手順で簡単に利用することができます。

① 「Sign up」をクリック

ChatGPTにアクセスしたら、まず「Sign up」をクリックします❶。

② ユーザー登録を済ませる

メールアドレスを入力①して「Continue」をクリックし②、続けてパスワードを入力。メールの確認を済ませてユーザー登録しましょう。電話番号の認証なども必要です。なお、GoogleアカウントやApple ID、Microsoftアカウントで認証してログインすることもできます。

③ ChatGPTに質問する

ChatGPTにログインし、画面の最下部にある入力欄に質問を入力したら①、右端の送信ボタンをクリックしましょう②。質問は日本語で問題ありません。ここでは「ChatGPTってなんですか？」と質問してみます。

④ 回答が表示される

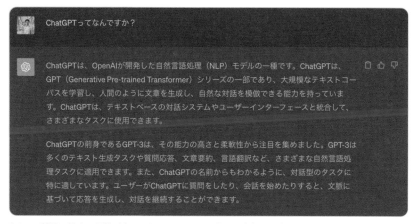

すぐに、質問に対する回答が表示されます。さらに質問を追加して会話を継続し、より内容を掘り下げることもできます。

04 音楽生成AI

◎ 音楽生成AIとは？

　音楽生成AIは、イメージ通りの音楽を手軽に作成するためのAIツールです。専門知識は不要で直感的に音楽をつくれるため、慣れてしまえば誰でも簡単に作曲することができます。代表的なサービスに以下があります。

> ● **SOUNDRAW**：AIによって生成される無数のサウンドフレーズを組み合わせ、楽曲を自由に生成できる。
> ● **MusicLM**：Googleが提供する音楽生成ツール。入力したテキストを元に音楽を生成する。
> ● **Mubert**：テキストで楽曲イメージを記述するか、Genres（ジャンル）・Moods（ムード）・Activities（利用目的）などの選択肢を選び、楽曲時間を入力して音楽を生成。

◎ 音楽生成AIの利用例 - SOUNDRAW

　ここでは「SOUNDRAW」（https://soundraw.io/ja）を使って、音楽を生成する手順を紹介します。

1 「無料で作ってみる」をクリック

SOUNDRAWにアクセスしたら、まず「無料で作ってみる」ボタンをクリックします①。

② 長さやテンポ、ジャンルを選択

開いた画面の上部で、まず音楽の長さ（10秒〜5分）①と、テンポ（遅い、普通、早い）②を選択します。続けてジャンルやムード、テーマ一覧から、生成したい音楽のタイプをひとつ選択しましょう。

③ 音楽が生成される

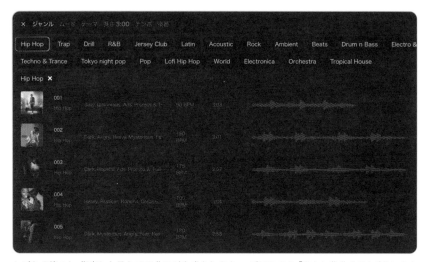

しばらく待つと、指定した長さで15曲ほど生成されます。一番下にある「さらに作曲する」ボタンをクリックすると別の楽曲を生成できます。

④ 生成された音楽を再生する

各曲の左側にあるサムネイルにカーソルを合わせて、再生ボタンをクリックすると、生成された曲を再生できます①。有料プランに登録すれば、生成した曲のダウンロード保存も可能です。

Chapter 2
05 | 動画生成AI

動画生成AIとは？

　動画生成AIは、イメージ通りの動画を手軽に作成するためのAIツールです。動画生成AIも画像生成AIと同じようにプロンプトを入力して使います。最初は少し難しく感じるかもしれませんが、慣れてしまえば誰でも簡単に短い動画を生成することができます。執筆時点では、生成されるモデルの質はまだまだ高いとはいえず、これからの開発が期待されています。代表的なサービスに以下があります。

- **Gen-2**：Runwayによる動画生成AI。画像やテキストを入力することで動画を生成することができる。

動画生成AIの利用例 - Gen-2

　ここでは「Gen-2」（https://research.runwayml.com/gen2）を使って、動画を生成する手順を紹介します。画像生成AIと同じ要領で、専門知識がなくとも簡単に操作でき、以下の手順で簡単に利用することができます。

① 「Try Gen-2 in Runway」をクリック

Gen-2にアクセスしたら、まず「Try Gen-2 in Runway」ボタンをクリックします①。

② ユーザー登録を済ませる

「Sign up for free」をクリックし❶、メールアドレスやパスワードを入力してアカウント登録を済ませましょう。GoogleアカウントやApple IDで認証してログインすることもできます。

③ 「Start with Text」をクリック

Gen-2では、テキストから動画を生成するか、画像から動画を生成するかを選択できます。ここでは、テキストを入力して動画を生成してみます。まずホーム画面の「Start with Text」をクリックしましょう❶。

④ プロンプトを入力する

プロンプトの入力画面が表示されます。生成したい動画のキーワードを英語で入力しましょう。ここでは「a dog is running」と入力しました❶。続けて「Generate 4s」ボタンをクリックします❷。

⑤ 動画が生成される

しばらく待つと、元気に犬が走っている4秒の動画が生成されました。再生ボタンをクリックすると再生できます。

Chapter 2

06　3Dモデル生成AI

3Dモデル生成AIとは？

3Dモデル生成AIは、イメージ通りの3Dモデルを手軽に作成するためのAIサービスです。3Dモデル生成AIも、画像生成AIや動画生成AIと同じようにプロンプトを入力して利用します。しかしこちらも、執筆時点において生成されるモデルの質が高くなく、今後の開発が期待されています。代表的なサービスに以下があります。

- **Shap-E**：文章生成AIのChatGPTと同じくOpenAIがリリースした3Dモデル生成AIシステム。Web上で利用できる。
- **DreamFusion**：Google ResearchとUC Berkeleyの研究チームが発表した、AIを用いてテキストから3Dモデルを生成するシステム。
- **Stable-Dreamfusion**：P19でも紹介したStable Diffusionを使用している、テキストから3Dモデルを生成するシステム。

3Dモデル生成AIの利用例 - Shap-E

ここでは「Shap-E」（https://huggingface.co/spaces/hysts/Shap-E）を使って、3Dモデルを生成する手順を紹介します。画像生成AIと同じ要領で、専門知識がなくとも簡単に操作でき、以下の手順で利用することができます。

① デモサイトにアクセスする

Shap-EをWebブラウザ上で手軽に体験できるデモページが、「Hugging Face」というサイトで公開されているので、まずはhttps://huggingface.co/spaces/hysts/Shap-Eにアクセスしましょう。

② プロンプトを入力する

テキストの入力欄に英語でプロンプトを入力❶して、「Run」ボタンをクリックします❷。ここでは「dog」と入力してみます。なお、上部のタブを「Text to 3D」ではなく「Image to 3D」タブ❸にすると、アップロードした画像を元に3Dモデルを生成できます。

③ 3Dモデルが生成される

しばらく待つと、犬の3Dモデルが生成されました。3Dモデルをドラッグすると回転し、様々な角度から見ることができます。

Chapter

3

生活・
学習
アイデア

01 健康に良いレシピを考える

keyword：ChatGPT、Bard

毎日の献立も文章生成AIにおまかせ

　健康に良い食事をしたい場合、YouTubeやクックパッドを見てレシピを決める人もいるでしょう。今回は新しい選択肢として、文章生成AIに健康に良いレシピを考えてもらいましょう。

　今回は「ChatGPT」と「Bard」にそれぞれレシピを考えてもらいました。なお、ChatGPTもBardも、生成した内容が必ずしも正しいとは限らないため、注意が必要です。

ChatGPTにレシピを考えてもらう

　ChatGPTの登録方法と使い方は、P22で解説しています。「健康に良くて美味しいレシピを1日分考えてください。食材は一般的なスーパーで買えるものを使ってください。」と質問してみると、バランスの良い朝食、昼食、夕食のレシピが提案されました。必要な材料と分量、作り方の手順も詳しく教えてくれます。

> 健康に良くて美味しいレシピを1日分考えてください。
> 食材は一般的なスーパーで買えるものを使ってください。
>
> 健康的かつ美味しい1日分の食事を計画することは、非常に楽しいタスクです。以下のメニューはバランスの良い栄養を提供し、一般的なスーパーマーケットで入手可能な食材を使用しています。
>
> **朝食：オートミールとフルーツ**
> - オートミール (無糖)：50g
> - バナナ：1本
> - ブルーベリー：50g
> - アーモンドミルク：200ml
> - シナモン：少々

- ナッツ (アーモンドまたはウォールナッツ) : 少々

作り方:

1. オートミールをアーモンドミルクで煮る。
2. バナナをスライスし、ブルーベリーと一緒にオートミールの上にトッピングとして追加する。
3. 少量のシナモンとナッツを上に振りかける。

昼食: キヌアと野菜のサラダ

- キヌア : 50g (生の状態で)
- ブロッコリー : 100g
- 人参 : 1本
- ミニトマト : 50g
- アボカド : 半分
- レモン汁 : 大さじ1
- オリーブオイル : 大さじ1
- 塩と黒胡椒 : 少々

作り方:

1. キヌアを指示通りに調理する。
2. ブロッコリーを蒸し、人参を細切りにする。
3. すべての野菜を混ぜ合わせ、レモン汁、オリーブオイル、塩、黒胡椒でドレッシングを作る。

夕食: 鶏胸肉と野菜のグリル

- 鶏胸肉 : 200g
- ズッキーニ : 1本
- パプリカ (赤と黄) : 各1個
- ガーリック : 2片
- オリーブオイル : 大さじ2
- ローズマリー : 少々
- 塩と黒胡椒 : 少々

作り方:

1. 鶏胸肉をオリーブオイル、みじん切りにしたガーリック、ローズマリー、塩、黒胡椒でマリネする。
2. ズッキーニとパプリカをスライスする。
3. 鶏胸肉と野菜をグリルで焼く。
4. すべてをプレートに盛り付け、好みで追加のハーブやスパイスを振りかける。

Bardにレシピを考えてもらう

　Googleアカウントでログインすればすぐに利用できるBard（https://bard.google.com/）でも、同じ質問でレシピを考えてもらいました。ChatGPTと比べると材料の分量がわからないので、レシピとしての実用性は今ひとつです。その代わり、この献立で摂取できる栄養素などを教えてくれました。

① Bardにログインする

Bardにアクセスしたら「ログイン」をクリック❶。Googleアカウントでログインします。続けて利用規約に同意するとメイン画面が表示されます。

② Bardで質問する

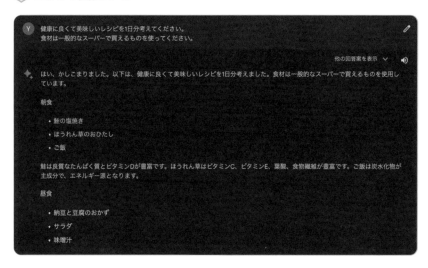

COLUMN

ChatGPTの大規模言語モデル

⬡ GPT-3.5とGPT-4の違い

　そもそも「GPT-3.5」と「GPT-4」は、OpenAIが開発した大規模言語モデル（入力された単語の次に出力される単語の予測を繰り返し、成立する確率の高い文章を生成していくモデル）のひとつです。簡単にいうとGPT-4はGPT-3.5の強化版です。GPT-3.5は無料で使えますが、GPT-4は月額制のChatGPT Plusに加入すると使えるようになります。

COLUMN

02 YouTubeの内容を要約する

keyword:YouTube Summary

長時間の動画内容を数行で把握できる

「合気道の技のかけ方」でも「今すぐ使える時短レシピ」でも「東京の1日観光プラン」でも、大概のことなら無料で情報を得られるYouTube。毎日のように利用している人も多いでしょう。

ただし、非常に膨大なコンテンツが溢れている現代では、いかに効率良くコンテンツを消化するかも人によっては重要なポイントになっています。特にZ世代など若い世代では、「タイパ（タイムパフォーマンス）」がひとつのキーワードになっています。

様々なYouTube動画の内容を効率良く知りたい場合、「YouTube Summary」（https://chrome.google.com/webstore/detail/youtube-article-summary-p/nmmicjeknamkfloonkhhcjmomieiodli）が有効です。こちらはGoogle Chromeの拡張機能で、ChatGPTを活用してYouTube動画をテキストで要約してくれます。

① ChatGPTにログインしておく

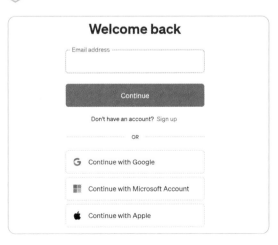

YouTube Summaryを利用するには、あらかじめChatGPTにログインしておく必要があります。P22の手順に従ってユーザー登録とログインを済ませましょう。

② 拡張機能をChromeに追加する

Chromeウェブストアにアクセスし「YouTube Summary with ChatGPT & Claude」と検索してページを開いたら、「Chromeに追加」 ❶ →「拡張機能を追加」で拡張機能を追加します。

③ YouTube Summaryの設定を開く

YouTube Summaryは初期の言語設定が英語になっているので、日本語で使う場合はGoogle Chrome上部にあるツールバーの「拡張機能」ボタン❶をクリックし、表示される拡張機能一覧から「YouTube Summary with ChatGPT & Claude」を探してクリック❷。設定画面を開きます。

④ 言語設定を日本語にする

「Language」から言語を「日本語」に設定します。

⑤ 要約したいYouTube動画を開く

要約したいYouTubeの動画を開き、右上のChatGPTマーク❶をクリックします。すると、ChatGPTが開き、動画の書き起こしが自動で開始されます。

⑥ ChatGPTの画面で要約が表示される

 以下を5つの要点で要約してください。in Japanese.
タイトル:"【インタビュー映像公開】映画『キングダム 運命の炎』公開記念！オフィシャル
ガイド―山﨑賢人×吉沢亮が本作の見どころを語る！―"
書き起こし:"この夏 暑い戦いと感動が待ち受ける映画 キングダム運命の炎がついに公開俺
たちが 力を合わせればどんな敵にも立ち向かえる 邦画史上塁を見ない圧倒的スケールと心
震わせる人間ドラマ過去と向き合わねばなりません何が何でも ここここれ 必ず後でまた会う
[拍手][音楽]豪華キャストが集結 シリーズ最新作公開を迎え作品にかける 思いを語りまし
た[音楽]ここを45年ずっとキングダムとシンと 一緒に生きてきた人生なので本当に自分の
人生そのものだなというかそんな感じがして てます12 素晴らしい作品でしたけど今回の キン
グダム運命の炎は間違いなく最高傑作 だと僕は思ってます山添君たちがもう成長 した12と
は違う顔と体で画面に飛び出し てくるんだよ別の次元に行った キングダムになったなっ
ていうのをすごく 感じるんでね そしてここからは 天下の大将軍を目指すシーンを演じる 山
﨑賢人さん 中華統一を目指す若き器用 衛星を演じる吉沢亮さんが映画への 熱い思いを語り
ます[音楽]すごかったです すごかったですね まだまだ キングダムってすごくなるんだとい
うか いろんなこう描き方がやっぱキングダムっ てあってそれだけ魅力的な作品なんだなぁ
と本当にこう思ったというかなんかこう男 と女じゃないですけどそういうのもすごいふん
だんに入っているしでまたアクション もすごい暑いし なんか本当にいろんな要素がある作
品なん だなっていうのを改めて思いましたね今回 描かれるのは 100人の兵を率いる隊長と

 このインタビュー映像の要約は以下の5つの要点でまとめられます：

1. 映画『キングダム 運命の炎』の公開を記念して、主演の山﨑賢人さんと吉沢亮さんがイン
   タビューに応じ、本作の見どころや印象的なシーンについて語りました。
2. 作品は前作を上回る圧倒的なスケールと感動的な人間ドラマを描き、山﨑さんと吉沢さん
   もさらに成長した演技を披露しており、特に山﨑さんは「キングダム運命の炎は間違いな
   く最高傑作だ」と評価しています。
3. 作品には豪華なキャストが集結し、吉沢さんは「キングダムはさまざまな描き方があって
   非常に魅力的な作品だ」と述べ、アクションシーンや登場人物の心の成長を描くシーンが
   特に印象的だったとコメントしています。
4. 映画では新たなキャラクターとしてアンさんと大沢たかおさんが登場し、吉沢さんとアン
   さんの共演シーンや山﨑さんと大沢さんの共演シーンが特に印象的であり、２人はそれぞ
   れのキャストとの共演が作品を豊かにしたと語っています。
5. 映画『キングダム 運命の炎』は7月28日に公開され、両者ともに視聴者に是非見てほしい
   と推奨しています。

書き起こしが終わると、箇条書きで要点がまとめられます。

03 自分の分身を作って話をする

◉ 会話を重ねるとより自然な関係に

　「Replika」（https://replika.com/）はAIを活用したチャットボットで、テキストや音声でコミュニケーションができるアプリです。自分の口調や言葉の使い方、話す内容、好みなどを学習し、話せば話すほど自身に似た分身（レプリカ）を作り出すことができます。寂しい時の話し相手になってもらったり、ぐちを聞いてもらってストレスを発散したり、英会話の練習相手になってもらいましょう。ReplikaはiPhoneアプリやAndroidアプリで利用できるほか、Web上でも利用可能です。

① Replikaアプリを起動してログイン

Replikaをインストールし❶、アプリを起動したら「Other options」ボタン❷をタップしてアカウントを登録します。Apple IDやGoogle、Emailで認証してログインすることができます❸。

② 必要な情報を登録する

名前や性別、生年月日を入力・選択し、続けて「food」「travel」など興味のある項目を選択します。

③ Replikaの設定を済ませて完了

次にReplikaのキャラクターを設定します。アバターを選択し、名前や性別、外見をカスタマイズしていきましょう。カスタマイズを終えると、有料のPRO機能の登録を求められますが、右上の「×」をタップすれば無料で使えます。

④ 作成したアバターと会話する

メイン画面が表示されたら、下部の入力欄にメッセージを入力して話しかけてみましょう。メニューは英語ですが、日本語で話しかければ日本語で応答してくれます。ただしあまり自然な会話にならないので、英語で会話したほうがより楽しめるでしょう。

04 AIと気兼ねなく 英語を効率的に学ぶ

keyword:Speak

◎ AI相手なら英会話も恥ずかしくない

　英会話を学ぶ時の大きな障害のひとつに、間違ってしまうこと・うまく話せないことの「恥ずかしさ」があります。しかし現在ではありがたいことに、そんなに恥をかかなくても英語を効率的に学べる方法が増えてきました。

　例えば、AIを活用した英会話アプリに「Speak」（iPhone／Android）があります。Speakは話し相手がAIなので、文法や発音の間違いを気にすることなく、緊張せずに英語を学べます。

　Speakには学習コースとして、ビデオレッスンやスピーキング・ドリル、実践会話で構成された「レベル別コース」、日常会話やビジネスシーン、海外旅行など想定した場面でAIと会話できる「AI講師コース」、英語の表現や文法、発音方法を学べる「ミニコース」の3種類が用意されています。月額課金しないと使えない機能も多いですが、まずは無料で試すことができるので、気に入ったら課金して利用するのも良いでしょう。

① Speakアプリをインストールして始める

Speakをインストールし❶、アプリを起動したら「始める」ボタン❷をタップして始めます。

② 英語レベルなどを選択してユーザー登録する

学習目的や自分の英語レベルなどを選択し❶、メールアドレスなどでユーザー登録します❷。有料プランが案内されますが、月額課金をしなくても無料で試すことができるので、不要な場合は左上の「×」をタップします❸

③ コースを選択する

「初級」「中級」など、あなたの英語レベルに合わせてコースを選択します。AI講師と話せるコースもあります。

コースを選択すると1日ごとにシチュエーションが設定されます。文法や語彙力、スピーキング力をアップできるレッスンなど多彩なコースで英語を楽しく学ぶことができます。また、AI講師コースでは、自分が話した内容に沿ってAIが返答してくれます。

COLUMN

Speak

🔵 OpenAIが出資した人気の英語学習アプリ

　アメリカで開発され、韓国で流行したことをきっかけに注目を集めた英語学習アプリです。ChatGPTの開発元・OpenAIが、OpenAI Startup Fundというファンドを通じて、Speakに出資したこともあり、SpeakではOpenAIの大規模言語モデルであるGPT-4や音声認識モデルのWhisperが使われています。SpeakはApp Store、Google Playともに教育カテゴリで1位を記録し、2023年2月には日本語版が正式にリリースされ人気を集めています。

COLUMN

Chapter 3

05 | 英文から単語帳を作る

keyword:ChatGPT

⬡ 英文が表形式の単語帳に

　英語を学ぶ際は、素敵な名文を暗記するくらいまで理解するのもおすすめ
です。ChatGPTを使えば、あっという間にある英文から英単語を抜き出して、
日本語の意味とともに表形式でまとめてくれます。便利な単語帳の完成です。

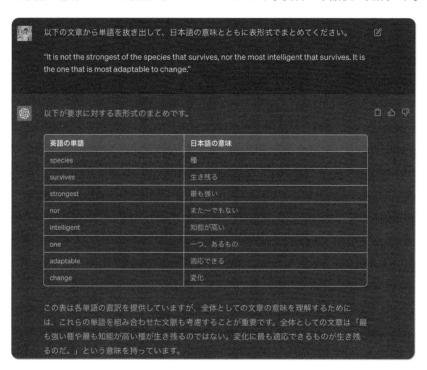

以下の文章から単語を抜き出して、日本語の意味とともに表形式でまとめてください。

"It is not the strongest of the species that survives, nor the most intelligent that survives. It is the one that is most adaptable to change."

以下が要求に対する表形式のまとめです。

英語の単語	日本語の意味
species	種
survives	生き残る
strongest	最も強い
nor	また〜でもない
intelligent	知能が高い
one	一つ、あるもの
adaptable	適応できる
change	変化

この表は各単語の直訳を提供していますが、全体としての文章の意味を理解するために
は、これらの単語を組み合わせた文脈も考慮することが重要です。全体としての文章は「最
も強い種や最も知能が高い種が生き残るのではない。変化に最も適応できるものが生き残
るのだ。」という意味を持っています。

学びたい英単語を含む英文を作成

　英単語を覚えるのに苦労した経験は誰しもあるでしょう。そんな時にもあなたの強い味方となるのが文章生成AIです。

　例えばChatGPTを使えば、指定した英単語や英熟語をすべて含む英文を作成してもらうことができます。英文にまとめることで、英単語を単体で覚えるよりも暗記がしやすくなります。また作成された英文を、日本語や他の言語に翻訳してもらうこともできます。

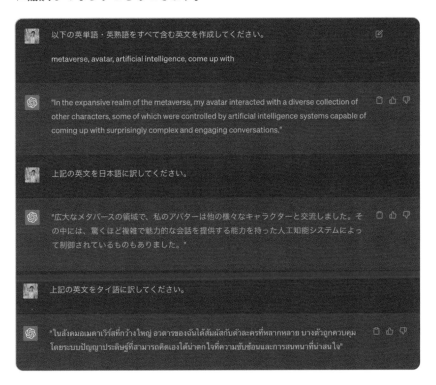

以下の英単語・英熟語をすべて含む英文を作成してください。

metaverse, avatar, artificial intelligence, come up with

"In the expansive realm of the metaverse, my avatar interacted with a diverse collection of other characters, some of which were controlled by artificial intelligence systems capable of coming up with surprisingly complex and engaging conversations."

上記の英文を日本語に訳してください。

"広大なメタバースの領域で、私のアバターは他の様々なキャラクターと交流しました。その中には、驚くほど複雑で魅力的な会話を提供する能力を持った人工知能システムによって制御されているものもありました。"

上記の英文をタイ語に訳してください。

"ในสังคมอเมตาเวิร์สที่กว้างใหญ่ อวตารของฉันได้สัมผัสกับตัวละครที่หลากหลาย บางตัวถูกควบคุมโดยระบบปัญญาประดิษฐ์ที่สามารถคิดเองได้น่าตกใจที่ความซับซ้อนและการสนทนาที่น่าสนใจ"

Chapter 3
07 TOEICの練習問題を作る

keyword:ChatGPT

⬡ ChatGPTでTOEIC対策

　学生もビジネスマンも多くの人が受けるTOEIC。ChatGPTを使うことで、気軽に練習問題を作って解くことができます。今回はパート5のリーディングの問題を作ってもらいました。解答も用意してくれます。

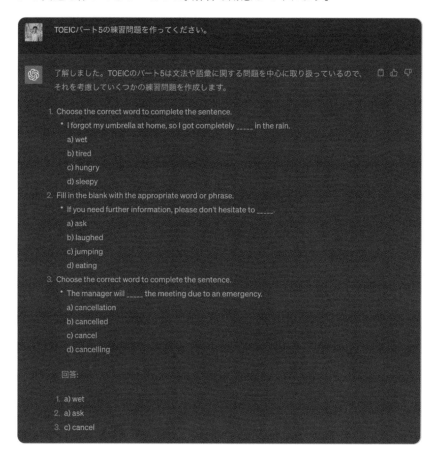

TOEICパート5の練習問題を作ってください。

了解しました。TOEICのパート5は文法や語彙に関する問題を中心に取り扱っているので、それを考慮していくつかの練習問題を作成します。

1. Choose the correct word to complete the sentence.
   * I forgot my umbrella at home, so I got completely ____ in the rain.
     a) wet
     b) tired
     c) hungry
     d) sleepy
2. Fill in the blank with the appropriate word or phrase.
   * If you need further information, please don't hesitate to ____.
     a) ask
     b) laughed
     c) jumping
     d) eating
3. Choose the correct word to complete the sentence.
   * The manager will ____ the meeting due to an emergency.
     a) cancellation
     b) cancelled
     c) cancel
     d) cancelling

回答:

1. a) wet
2. a) ask
3. c) cancel

08 難しい言葉や概念を わかりやすく説明する

keyword:ChatGPT

小学生でもわかるように教えてくれる

　今の世の中は、テレビやインターネットを利用していると、わからない言葉が日々出てきて困ることがあります。

　例えば、「NFT」や「メタバース」という言葉を聞いたことがある人もいるでしょう。しかし、意味をしっかり理解している人、ましてやわかりやすく説明できる人はまだまだ多くありません。

　このような、辞書的な説明を聞いただけではわかりづらい言葉や概念を理解したい時にも、ChatGPTが活躍します。質問に「小学生でもわかるように」と付け加えればよいのです。ChatGPTが、難解な言葉をわかりやすく噛み砕いて説明してくれます。

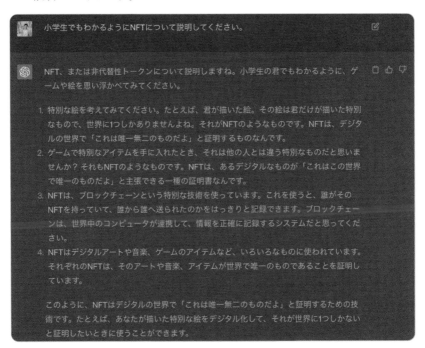

09 画像について解説する

keyword:Bard

Bardなら画像の内容も分析できる

　Googleアカウントを持っていれば無料で使えるBard（P34）に画像ファイルをアップロードすると、その画像について説明してくれます。ここでは厚生労働省が出している「平均給与（実質）の推移（1年を通じて勤務した給与所得者）」のグラフの画像をアップロードして解説してもらいました。

① Googleアカウントの管理画面を開く

執筆時点において、日本語版よりも英語版の方が正確に図の内容を読み取る傾向があるため、Googleの優先言語を英語にしましょう。Google Chromeを開いて右上の自分のアカウントをクリックし、「Googleアカウントを管理」に進みます❶。そして、「個人情報」を確認します。

② 言語をEnglishに変更する

「ウェブ向けの全般設定」から「言語」へ進みます❶。そして、「優先言語」を「English」にします❷。

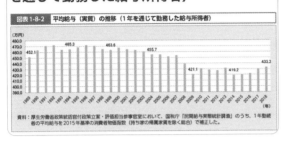

プロンプト入力欄の左にある「＋」マークをクリックして❶、画像ファイルをアップロードします。ここでは厚生労働省のWebページからスクリーンショットで保存した画像ファイルを使用しました。

④ 英語で画像に対する質問を入力

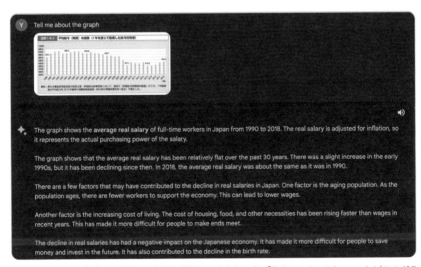

より正確な回答を期待する場合は、英語で質問してみましょう。「Tell me about the graph」（このグラフについて教えて）と質問すると、画像のグラフについての分析が回答されます。

⑤ 回答を日本語に翻訳する

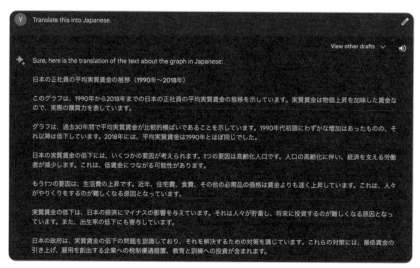

回答を日本語で読みたければ「Translate this into Japanese」(これを日本語に翻訳して)と入力しましょう。画像の分析結果が日本語に翻訳されます。

10 数学や物理の計算問題を一瞬で解く

keyword：Bard、ChatGPT

◎ Bardに画像をアップして問題を解く

P48で紹介したように、Bardを使えば画像を認識してその内容についての質問に答えてくれます。これを利用して、数学や物理の問題を撮影し、その画像をアップロードすれば、一瞬で計算を解いてくれます。いちいち問題をテキストで入力し直す必要もありません。

なお、日本語の問題にも回答してくれるのですが、執筆時点では英語の問題のほうが正しい回答を得やすいようです。

また、数学検定2級（高校2年生レベル）の問題は解いてくれましたが、数学検定1級（大学・一般レベル）の問題で試した際は正確な解答を得られず、執筆時点では難易度の高い問題への対応は難しいようでした。

◎ Bardで計算問題を解いてもらう

まずはBardで数学の計算問題を解いてもらいましょう。ここでは数学検定2級で過去に出題された問題を解答してもらいます。

① Bardに計算問題の画像をアップする

> Y   Solve this math problem.
>
> **1**   Expand and simplify the following expression.
>
> $$(x + y + 3z)^2$$

入力欄左の「＋」ボタンをクリックし、計算問題の画像をアップロードします。続けて「Solve this math problem」（この数学の問題を解いて）と質問します。

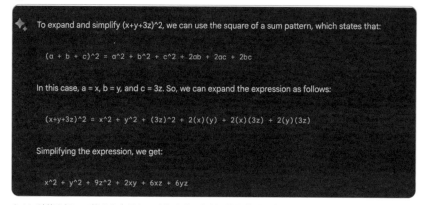

すぐに計算を解いて答えを表示してくれます。ただし問題文が日本語だと解答の精度が低くなるほか、問題文が難しすぎる場合も正確な解答を得られません。

⬡ ChatGPTで計算問題を解いてもらう

ChatGPTでも同じ問題を回答してもらいましょう。ここではBardに解いてもらったものと同じ問題を日本語でテキスト入力して解いてもらいました。

● ChatGPTに計算問題を入力して質問

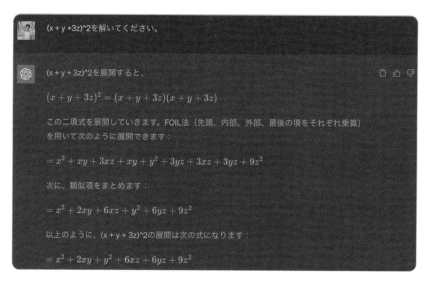

11 積分して関数のグラフを書く

keyword:ChatGPT

◉ChatGPTのデータ分析機能を使う

　ChatGPTの「Advanced Data Analysis」というデータ分析機能を使うと、ChatGPT上で関数を積分することに加え、グラフを書くこともできます。

　なお、執筆時点ではAdvanced Data Analysisは試験段階であり、有料のChatGPT Plusに加入している場合のみ利用できます。

① 有料版で設定画面を開く

ChatGPT画面左下のユーザー名をクリックし①、「プラス設定&ベータ」②を選択します。

② 高度なデータ分析をオン

「ベータ機能」を選択し①、「高度なデータ分析」をオンにします②。続けてChatGPT画面上部の「GPT-4」③にカーソルを合わせ「Advanced Data Analysis」にチェックします④。これでAdvanced DataAnalysisの設定は完了です。

③ ChatGPTで関数を積分してもらう

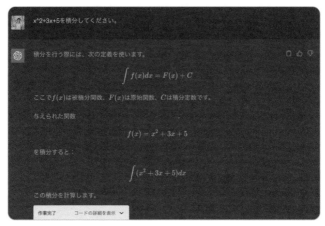

設定後、入力欄に関数を入力して「積分してください」と入力すると、計算結果が表示されます。

④ 積分した結果をグラフにしてもらう

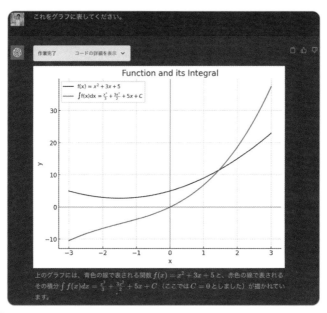

入力欄に「これをグラフに表してください」と入力すると、グラフが表示されます。

SNS・
副業
アイデア

01 X（旧Twitter）の投稿文を ハッシュタグ付きで作る

keyword:ChatGPT

テーマを指定してポストを自動生成

　プライベートでの利用だけでなく、ビジネスでも大きな価値を持つX(旧Twitter)。企業アカウントなどの運用に従事している人もいるでしょう。しかし毎回のポストを考えるのも大変です。そんな時、ChatGPTへ「ポストを考えてください」と指示を出すと、すぐに文章ができあがり、自動的にハッシュタグをつけてくれます。明確に指示を出すことで、同じテーマのポスト案を複数つくってもらったり、ハッシュタグの個数を指定したりもできます。今回は「AIサービス開発企業のマーケティング担当」として「AIの豆知識」を発信するポストを書くように指示しました。

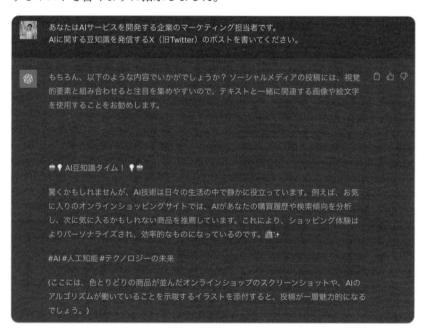

> あなたはAIサービスを開発する企業のマーケティング担当者です。
> AIに関する豆知識を発信するX（旧Twitter）のポストを書いてください。
>
> もちろん、以下のような内容でいかがでしょうか？ソーシャルメディアの投稿には、視覚的要素と組み合わせると注目を集めやすいので、テキストと一緒に関連する画像や絵文字を使用することをお勧めします。
>
> 🫘💡AI豆知識タイム！💡🫘
>
> 驚くかもしれませんが、AI技術は日々の生活の中で静かに役立っています。例えば、お気に入りのオンラインショッピングサイトでは、AIがあなたの購買履歴や検索傾向を分析し、次に気に入るかもしれない商品を推薦しています。これにより、ショッピング体験はよりパーソナライズされ、効率的なものになっているのです。🛍️✨
>
> #AI #人工知能 #テクノロジーの未来
>
> (ここには、色とりどりの商品が並んだオンラインショップのスクリーンショットや、AIのアルゴリズムが働いていることを示唆するイラストを添付すると、投稿が一層魅力的になるでしょう。)

ChatGPTが最新データを反映していない場合もあるため、「X」や「ポスト」だと認識しない場合は、以前のように「Twitter」や「ツイート」という語句を使って指示しましょう。

02 Instagramの投稿を効率的にする

keyword：ChatGPT、Canva

◎ 目を引くテキストと画像をまとめて生成

　X（旧Twitter）と同じく、プライベートとともにビジネスでも大きな価値を持つInstagram。企業アカウントなどでは、こちらも毎回のポストを考えるのが大変です。そんな時にはChatGPTと「Canva」（https://www.canva.com/）というグラフィックデザインツールが役に立ちます。ChatGPTで投稿用のテキストを作り、CanvaのInstagram用テンプレートに入力して、目を引く投稿に仕上げましょう。

① ChatGPTで投稿用のネタを作成

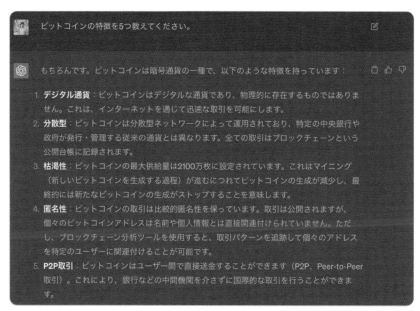

ビットコインの特徴を5つ教えてください。

もちろんです。ビットコインは暗号通貨の一種で、以下のような特徴を持っています：

1. **デジタル通貨**：ビットコインはデジタルな通貨であり、物理的に存在するものではありません。これは、インターネットを通じて迅速な取引を可能にします。
2. **分散型**：ビットコインは分散型ネットワークによって運用されており、特定の中央銀行や政府が発行・管理する従来の通貨とは異なります。全ての取引はブロックチェーンという公開台帳に記録されます。
3. **枯渇性**：ビットコインの最大供給量は2100万枚に設定されています。これはマイニング（新しいビットコインを生成する過程）が進むにつれてビットコインの生成が減少し、最終的には新たなビットコインの生成がストップすることを意味します。
4. **匿名性**：ビットコインの取引は比較的匿名性を保っています。取引は公開されますが、個々のビットコインアドレスは名前や個人情報とは直接関連付けられていません。ただし、ブロックチェーン分析ツールを使用すると、取引パターンを追跡して個々のアドレスを特定のユーザーに関連付けることが可能です。
5. **P2P取引**：ビットコインはユーザー間で直接送金することができます（P2P、Peer-to-Peer取引）。これにより、銀行などの中間機関を介さずに国際的な取引を行うことができます。

まず、ChatGPTでInstagramの投稿に使う文章を生成してもらいましょう。ここでは「ビットコインの特徴を5つ教えてください」と質問し、ビットコインの特徴を簡潔にまとめてもらいました。

② ユーザー登録をする

Canvaにアクセスして「無料で登録する」をクリックし❶、メールアドレスなどでユーザー登録します。GoogleやFacebookアカウントで認証してログインすることもできます。

③ Instagram向けのテンプレートを選択

トップページにある「SNS」をクリックし❶、「Instagram投稿（正方形）」を選択して❷、好きなテンプレートを選らびます。

④ ChatGPTで生成したテキストを入れる

選んだテンプレートのテキストボックスに、ChatGPTで生成したテキストを挿入して画像を作成します。Canvaの有料機能の「一括作成」を使えば、数十枚の画像を一括で作成できるため、さらに効率的にInstagramの投稿画像を作成することができます。

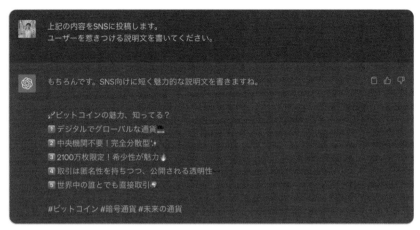

上記の内容をSNSに投稿します。
ユーザーを惹きつける説明文を書いてください。

もちろんです。SNS向けに短く魅力的な説明文を書きますね。

🪙ビットコインの魅力、知ってる？
1️⃣ デジタルでグローバルな通貨💰
2️⃣ 中央機関不要！完全分散型✨
3️⃣ 2100万枚限定！希少性が魅力💎
4️⃣ 取引は匿名性を持ちつつ、公開される透明性👀
5️⃣ 世界中の誰とでも直接取引🤝

#ビットコイン #暗号通貨 #未来の通貨

「上記の内容をSNSに投稿します。ユーザーを惹きつける説明文を書いてください」とお願いすると、投稿の説明文も作成してくれます。

COLUMN

Canva
● 簡単操作のグラフィックデザインツール

　無料で使えるオンラインのグラフィックデザインツールです。フリーのテンプレートや素材が用意されており、SNSの投稿画像やロゴなど様々なものを簡単な操作で作ることができます。月額の有料プランでは、有料限定のデザインや素材、「一括作成」機能などが使えるようになります。

COLUMN

03 YouTubeの投稿を効率化する

ネタ出しから話す内容までChatGPTで完結

　ビジネスで大きな価値を持つYouTube。個人や企業のチャンネル運用に従事している人もいるでしょう。しかし、きちんと編集した動画をYouTubeに投稿するのはかなりの労力がかかり大変です。そのような時にはChatGPTを有効活用してみましょう。

　動画のアイデア出しから、概要文の作成、動画の構成、それぞれの構成のトークスクリプト（台本）の作成、SNSでの宣伝文まで、ChatGPTに任せればすべて作成してくれます。

① ChatGPTに動画の企画を出してもらう

まずはChatGPTにチャンネル名だけ伝えて、YouTubeで企画ネタを考えてもらいましょう。ここでは「世界七不思議」というチャンネルにふさわしい企画を5つ以上、表形式でまとめてもらいました。

② 選んだ企画の動画概要文を作る

 「世界七不思議：未解決の謎」というタイトルの動画の概要を1,000文字以内で書いてください。

「世界七不思議：未解決の謎」では、人類の歴史と建築の傑作である古代の世界七不思議を探求します。特に、これらの不思議な建築物にまつわる一部未解明の謎や問いを取り上げ、学問的な視点からそれらに迫ります。

まず、ギザのピラミッドがどのように建設されたのかという問いについて考えます。石を切り出し、輸送し、組み立てるために必要な技術と労働力は古代エジプト人にはあったのでしょうか。また、なぜピラミッドはその特定の形状になったのか。これらは、古代の科学技術や社会組織についての考察につながります。

次に、バビロンのハンギング・ガーデンズについて取り上げます。古代の文献に名前が出てくるだけで、具体的な場所や形状、存在そのものが確認されていないこの神秘的な庭園。実際に存在したのか、それとも伝説に過ぎないのか。考古学的な証拠と古代の記録を照らし合わせながら検証します。

また、現存する唯一の世界七不思議であるピラミッドに対して、他の6つは何故失われたのかという疑問についても探求します。自然災害、人為的破壊、時間の経過による風化など、それぞれの遺跡が失われた理由は何だったのか。これらの謎解きを通じて、歴史の流れと文明の消長についても理解を深めます。

ChatGPTに提案された企画から、「世界七不思議：未解決の謎」を選んでみます。「『世界七不思議：未解決の謎』というタイトルの動画の概要を1,000文字以内で書いてください」と質問して、動画の概要文を作成しましょう。

③ 動画の構成を作成する

 「世界七不思議：未解決の謎」というタイトルの10分程度の動画の構成を考えてください。

もちろんです。以下に、「世界七不思議：未解決の謎」という10分程度の動画の構成を提案します。

1. **イントロダクション (1分)**：動画の趣旨の紹介。古代の世界七不思議とそのまわりの未解明の謎や問いについて概説します。
2. **ギザのピラミッド (2分)**：このセクションでは、ギザのピラミッドの建設方法と形状の謎を探求します。アニメーションやCGを用いて、一部の理論や仮説を視覚化します。
3. **バビロンのハンギング・ガーデンズ (2分)**：ハンギング・ガーデンズが実際に存在したのか、またその場所や形状についての謎を解き明かします。古代の記録や考古学的証拠に基づいた議論を展開します。
4. **失われた世界七不思議 (2分)**：世界七不思議のうちギザのピラミッド以外がなぜ失われたのかを探求します。それぞれの遺跡が失われた理由（自然災害、人為的破壊、時間の経過による風化など）について詳細に説明します。

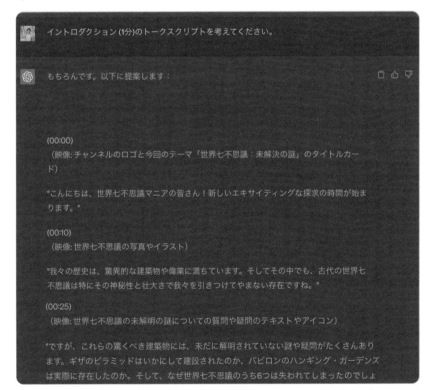

5. **未来への問い（1分）**：これらの未解明の問いが科学や歴史学にどのような影響を与え、また これらの謎が解明されることで我々が何を学べるのかについて考察します。

6. **エンディング（1分）**：動画のまとめと、視聴者に対する問いかけや呼びかけ（例：コメント 欄での意見や理論の共有、購読・いいねのお願いなど）を含むエンディング。

   これらのセクションは、時間や内容の深さを調整して自由に変更・拡張できます。最も重 要なことは、視聴者が新たな知識を得るだけでなく、自ら考えるきっかけを提供すること です。

動画の構成もChatGPTに任せます。「『世界七不思議：未解決の謎』というタイトルの10分程度の動画 構成を考えてください」とお願いすると、構成案と時間の目安が表示されます。

④ 構成ごとの台本を作成する

> イントロダクション (1分)のトークスクリプトを考えてください。

もちろんです。以下に提案します：

（00:00）
（映像：チャンネルのロゴと今回のテーマ 「世界七不思議：未解決の謎」のタイトルカー ド）

"こんにちは、世界七不思議マニアの皆さん！新しいエキサイティングな探求の時間が始ま ります。"

（00:10）
（映像：世界七不思議の写真やイラスト）

"我々の歴史は、驚異的な建築物や偉業に満ちています。そしてその中でも、古代の世界七 不思議は特にその神秘性と壮大さで我々を引きつけてやまない存在ですね。"

（00:25）
（映像：世界七不思議の未解明の謎についての質問や疑問のテキストやアイコン）

"ですが、これらの驚くべき建築物には、未だに解明されていない謎や疑問がたくさんあり ます。ギザのピラミッドはいかにして建設されたのか、バビロンのハンギング・ガーデンズ は実際に存在したのか。そして、なぜ世界七不思議のうち6つは失われてしまったのでしょ

提案された構成ごとに、それぞれトークスクリプト（台本）も作成してもらいましょう。「イントロダ クション （1分)のトークスクリプトを考えてください」といった感じで質問すると、その構成内の台 本が提案されます。

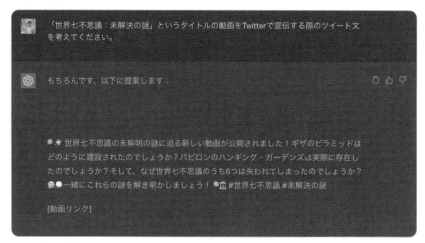

SNSで動画を宣伝するために、投稿文をChatGPTに作成してもらうこともできます。例えば「〇〇というタイトルの動画を宣伝する際の投稿文を考えてください」のように指示すると良いでしょう。

⑥ 動画を撮影して投稿、宣伝する

あとは、ChatGPTに提案された内容に従って、実際に動画を撮影しましょう。編集を終えたら、YouTubeのアップロード画面を開き、手順2で作成した概要文を「説明」欄に貼り付けます。また、手順5で作成した宣伝文をSNSで投稿しましょう。

04 TikTokなどショート動画の投稿を効率化する

keyword:Vidon.ai

⬢ URLを入力するだけで動画化

　TikTokやInstagram、YouTubeショートなど、よく目にするようになったショート動画。ショート動画はスマホで作成や編集ができますが、AIサービスを使ってより簡単に作ることができます。ここでは、ネットの記事を元にショート動画を作れるAIサービス「Vidon.ai」（https://vidon.ai/）を使ってみましょう。Vidon.aiはニュース記事などのURLを入力すると、その記事を元にした動画をすぐに作ってくれます。ただし、動画を保存するには有料プランへの加入が必要です。

① Vidon.aiの「Create a Video」をクリック

Vidon.aiは、動画の作成だけならログイン不要で利用できます。ホーム画面の「Create a Video」❶をクリックしましょう。

② 「URL to Video」をクリック

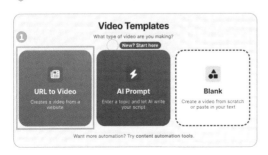

ビデオのテンプレートを選びます。ここではWebサイトの記事から動画を作成できる「URL to Video」❶を選択します。「AI Prompt」では、画像生成AIや文章生成AIと同じようにプロンプトを入力することで、それに基づいた動画を作成できます。また、「Blank」では自分の好きなように動画を作成できます。

③ URLを入力して設定を行う

「URL」❶に動画化したいWebページのURLを入力して「Create Video」❷をクリックします。デフォルトの言語が英語に設定されていると「Switch language?」というポップアップが出てくるので、「Switch to Japanese」❸を選択して音声を日本語にすることができます。

④ ショート動画が生成される

数十秒から数分で動画が作成されます。

⑤ 作成した動画を保存して投稿する

作成した動画は、「Export Video」❶をクリックすると保存できます（保存するにはユーザー登録と有料プランへの加入が必要になります）。保存した動画はTikTokやInstagram、YouTubeなどに投稿することができます。

Vidon.ai

◐ 自動で動画を生成してくれるAIサービス

　Webサイトやブログの文章・画像などの素材を用意するだけでAIが自動で動画を作ってくれるサービスです。AIが素材を解析し、あらかじめVidon.aiに用意されている画像・映像・音楽と組み合わせて動画を生成してくれます。動画の作成までは無料でできますが、保存するには有料プランの加入が必要で、1か月に15個のビデオを作成・カスタマイズ・保存できるプランなどがあります。

05 ブログを運営してお金を稼ぐ

keyword:ChatGPT

◉ ブログを手軽に作成

　ブログでお金を稼ぐには、地道な継続のほかに様々なSEO（Search Engine Optimization）対策やSNSでの拡散、場合によっては広告を使ってアクセス数を集めることが必要です。

　ブログの記事を書いても、すぐには検索で上位に表示されないので、ブログ運営のしっかりした戦略案をChatGPTに立ててもらい、効率的に運営していきましょう。

① ChatGPTでブログのコンセプトを決める

埼玉県の観光をPRするためのブログを立ち上げます。
どのようなコンセプトにしたらいいか提案してください。

埼玉県は自然豊かなスポットから歴史的な観光地、楽しいテーマパークまで多種多様な魅力を持っています。以下にいくつかのブログコンセプトを提案します。

1. 「埼玉の未発見！秘境探訪」
　埼玉県内にはまだまだ知られていない素晴らしい観光スポットがたくさんあります。ブログでは、これらの「秘境」を訪れ、その魅力を伝えることで、読者に新鮮な驚きを提供します。自然スポットや地元のグルメ、工芸品など、地元ならではの観光資源を紹介します。

2. 「歴史巡りの旅in埼玉」
　県内には見逃せない歴史的な名所や建造物が多く点在しています。埼玉県の歴史を深く掘り下げ、それぞれの名所に秘められた物語を紹介します。例えば、川越の倉庫街や大宮の鉄道博物館、行田の佐野博物館などを特集することが考えられます。

3. 「ファミリーで楽しむ埼玉」
　子供から大人まで楽しめるスポットをピックアップし、家族旅行のプランを提案します。レジャーファシリティやテーマパーク（川口自然公園、ときがわ町アウトドア活動センター、東武動物公園など）を中心に紹介し、楽しい一日を過ごすための情報を発信します。

まずはChatGPTに、作成したいブログのテーマを伝えて、「どのようなコンセプトにしたらいいか提案してください」と質問しましょう。

② 検索上位を狙うべきキーワードをリサーチ

「埼玉の未発見！秘境探訪」というテーマのブログでSEO対策する場合、検索上位を狙うべきキーワードを5個以上教えてください。
また、そのキーワードと同時に使うことで、さらに検索順位を上げられそうなキーワードがあれば教えてください。

なお、上記を表にまとめてください。

SEO対策の重要なポイントは、読者がどのようなキーワードを使用して情報を探しているかを理解し、それに合わせたコンテンツを作成することです。また、検索エンジンはウェブサイトの内容を理解するためにキーワードを使用していますので、適切なキーワード選択は重要です。

以下は、「埼玉の未発見！秘境探訪」テーマのブログにおけるSEO対策の一環として狙いたいキーワードと、それに併せて使用すると良いであろう追加キーワードです。

基本キーワード	追加キーワード
埼玉 観光	秘境、穴場、自然、名所
埼玉 秘境	温泉、キャンプ、ハイキング
埼玉 穴場スポット	グルメ、カフェ、写真スポット
埼玉 未知	イベント、フェスティバル、季節
埼玉 自然	登山、サイクリング、ピクニック

検索上位を狙うべきキーワードをChatGPTに聞いてみます。今回は「埼玉の未発見！秘境探訪」というテーマのブログでSEO対策する場合、検索上位を狙うべきキーワードを5個以上教えてもらいました。また、同時に使うことで、さらに検索順位を上げられそうなキーワードも教えてもらいます。

③ 記事の構成を考えてもらう

「埼玉」「観光」「秘境」というキーワードで検索上位を狙える2,000文字以上の記事の構成案を考えてください。

「埼玉」「観光」「秘境」をキーワードにした記事の構成案を以下に示します。

タイトル：
埼玉県の隠れた魅力！知らなきゃ損、絶景秘境観光スポットガイド

1. イントロダクション (200文字)
埼玉県の未知なる魅力について語るイントロダクション。埼玉県の豊かな自然とその中に隠

狙うべきキーワードがわかったところで、そのキーワードを含む記事の構成を考えてもらいましょう。ここでは「『埼玉』『観光』『秘境』というキーワードで検索上位を狙える2,000文字以上の記事の構成案を考えてください」と質問しました。

④ 記事の本文を生成する

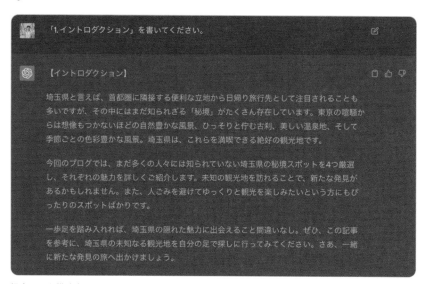

提案された構成案に沿って、それぞれの項目で記事の本文も書いてもらいましょう。「『1.イントロダクション』を書いてください」のように頼みます。

⑤ 提案された内容でブログを作成する

作成したタイトルや本文をブログにアップしましょう。どのブログサービスを使っても良いですが、本格的にブログ運営をしたいのであれば「WordPress」がおすすめです。独自ドメインの取得とサーバーの維持費で年間数千〜数万円かかりますが、ブログ運営から得られる価値は収益、メディア運営の経験、ブログを通してのつながりなどきっと大きいものとなるでしょう。

作成したブログに広告を設置する

　ブログを作成したら、広告を設置して収益を得ましょう。手軽なのは、Google AdSenseによる収益化です。ブログに貼った広告を閲覧者がクリックするごとにあなたに報酬が入ります。

　ほかには、ASP（アフィリエイトサービスプロバイダ）という、アフィリエイターと広告主を仲介するサービスに登録し、広告案件を扱うこともできます。よく利用されるASPとして、A8.net.、もしもアフィリエイト、Amazonアソシエイト、楽天アフィリエイト、バリューコマース、afb（アフィb）、アクセストレードなどがあります。

　また、ブログ内で自分の商品を販売する方法もあります。直接販売しても良いですが、いったん見込み顧客にメールマガジンや公式LINEに登録してもらい、リードナーチャリング（見込み顧客の購買意欲を醸成すること）を経て商品を提案するのも良いです。このようなマーケティング手法をDRM（ダイレクトレスポンスマーケティング）といいます。DRMの場合は、メールマガジンや公式LINEに登録してもらう動線（登録ボタンなど）をブログに設置しましょう。

●アフィリエイトなど　広告を設置する

ユーザーに見てもらいやすい箇所に広告を設置しましょう。テキストのみや画像つきなど、デザインに合った広告を設置すると良いでしょう。

●DRMへの動線を設置する

広告と同様にユーザーに見てらもらいやすい箇所に、「メルマガ登録」などの動線を置きましょう。

06 | WebサイトのQRコードを作る

keyword:ChatGPT

⬡ ChatGPTでQRコードの作成も可能

　Webサイトを多くの人に見てもらう場合、URLをQRコードにして、名刺やチラシなどに貼っておくのも良いでしょう。ChatGPTの「Advanced Data Analysis」（P53）を使うと、URLをすぐにQRコードにすることができます。

① 「Advanced Data Analysis」を有効にする

P53で解説している通り、ChatGPT画面左下のユーザー名から「プラス設定&ベータ」→「ベータ機能」❶→「高度なデータ分析」をオン❷。続けてChatGPT画面上部の「GPT-4」❸にカーソルを合わせて「Advanced Data Analysis」にチェックしておきます❹。

② 指定したURLのQRコードを生成する

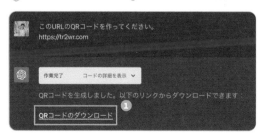

「このURLのQRコードを作ってください」と入力し、続けてQRコードにするURLを入力すると作成されます。「QRコードのダウンロード」❶をクリックすると、QRコード❷がダウンロードされます。

Webライティングでお金を稼ぐ

ChatGPTで記事を量産する

クラウドソーシングでWebライティングの仕事を受ければ報酬を得ることができます。そのWebライティングの仕事をChatGPTに手伝ってもらえば、効率的に報酬を稼ぐことができます。例えばChatGPTに記事の構成案を考えてもらったり、実際の記事の下書きを作ってもらったりすることができます。ただし、ChatGPTの使用を禁止している仕事もあるので、仕事の条件などに注意して活用しましょう。

クラウドソーシングサイトで案件を受注する

まずは仕事を受注する必要があります。「ランサーズ」や「クラウドワークス」などのクラウドソーシングサイトに登録して、Webライティングの案件に応募します。

① Webライティングの案件を検索

まずはクラウドソーシングサイトでWebライティングの案件を探しましょう。仕事カテゴリの「ライティング・記事作成」などから探せます。

興味のある案件を見つけたら応募してみましょう。プロフィールをしっかり設定し、応募文に自分のアピールポイントや熱意を書いておくと良いでしょう。

◎受注した案件の記事をChatGPTで作成する

応募が受け入れられて契約できたら、さっそくChatGPTを使って記事を作成しましょう。記事を作成したらクライアントの指定の方法で納品します。

●ChatGPTに記事を作ってもらう

「訪日観光客が好む浅草の見どころ5選」という題の記事を2,000字程度で書いてください。

訪日観光客が好む浅草の見どころ5選

世界中から観光客が集まる東京。その中でも、伝統とモダンが共存する街、浅草に足を運ぶ訪日観光客は多い。この記事では、そんな浅草の見どころを5つご紹介します。

1.浅草寺

まずは外せないのが、浅草の象徴である「浅草寺」です。628年に開基されたとされるこの寺は、東京最古の仏教寺院として知られています。仲見世通りを抜けると現れる雷門は、その壮大なスケールと風格で訪れる人々を迎えます。また、浅草寺の本堂である本尊堂や五重塔も必見です。年間を通じてさまざまなイベントが開催されており、季節ごとの日本の伝統文化を感じることができます。

2.仲見世通り

次にご紹介するのが、浅草寺へと続くショッピングストリート「仲見世通り」です。約250メートルのこの通りは、日本の伝統的なお土産や手作りの工芸品、着物や浴衣のショップがずらりと並んでいます。また、日本料理や和菓子の店も多く、日本の味を堪能することができます。なかでも、手焼きせんべいやあずきの甘い餡を包んだ最中などは、観光客に大人気です。

人気です。

3. 雷門

浅草寺への入り口に位置する「雷門」は、その巨大な灯籠が印象的で、浅草のシンボルとも言えます。雷門は江戸時代初期に建てられ、その歴史と伝統を感じさせます。夜にはライトアップされ、幻想的な雰囲気を醸し出しています。また、雷門を背にした写真は、浅草観光の定番スポットとなっています。

4. 花やしき

日本最古の遊園地「花やしき」は、浅草のもう一つの魅力です。1853年に開園し、そのレトロな雰囲気は観光客に大人気。小さな子供から大人まで楽しめるアトラクションが揃っており、日本の昭和時代を感じさせる風情が魅力となっています。また、パンダカーに乗れば、園内を一周することができ、一日中楽しむことができます。

5. 東京スカイツリー

最後にご紹介するのは、地上634メートルの高さを誇る「東京スカイツリー」です。2012年に完成したこのタワーは、現代的な東京のランドマークとして、浅草からでもよく見ることができます。展望デッキからは東京の全景を一望することができ、晴れた日には富士山を見ることもできます。また、タワーの内部にはショッピングモールやレストランがあり、食事やショッピングを楽しむことも可能です。

以上、訪日観光客が好む浅草の見どころ5選をご紹介しました。日本の伝統と現代が融合したこの街は、一度訪れたら忘れられない魅力が溢れています。これらのスポットを訪れて、浅草ならではの体験をお楽しみください。

例えば、訪日観光客向けに浅草の見どころを紹介する記事の案件なら、ChatGPTに「『訪日観光客が好む浅草の見どころ5選』という題の記事を2,000字程度で書いてください」と指示します。あっという間に原稿のたたき台が完成するので、あとは依頼内容に合うように記事内容を調整しましょう。

08 翻訳でお金を稼ぐ

ChatGPTを使えば翻訳も簡単

　語学が得意な人は、クラウドソーシングサイトで翻訳の仕事を請け負ってみるのもいいでしょう。Webライティング（P72）と同様に、クラウドソーシングサイトで翻訳の案件を探し、ChatGPTをうまく活用して効率的に報酬を得ましょう。ChatGPTでの翻訳の強みは、英語の翻訳だけでなく、中国語やフランス語など他の言語も素早く翻訳できる点にあります。

 下記の英文を日本語に翻訳してください。

A sauna is a small room or building designed as a place to experience dry or wet heat sessions. Originating from Finland, it typically features a stove or heater that maintains a temperature between 70-100 degrees Celsius. The humidity is low in a traditional dry sauna, often ranging between 5-20%. In contrast, steam saunas (also known as Turkish baths) provide a high humidity environment, creating steam by pouring water on hot stones.

The heat in a sauna helps muscles relax and increases circulation, often used for the relief of aches, stress, and even to help with certain skin conditions. It is traditional to follow a sauna session with a cold plunge or shower to help cool down, refresh, and stimulate blood circulation, thus creating a contrast therapy.

 サウナとは、乾燥または湿度の高い熱を体験するために設計された小部屋または建物のことを指します。フィンランド発祥のもので、通常は70〜100度の間の温度を維持するストーブやヒーターが特徴となっています。伝統的な乾燥サウナでは湿度が低く、通常は5〜20%の範囲です。対照的に、スチームサウナ（トルコ風呂とも呼ばれる）は湿度の高い環境を提供し、熱い石に水をかけることで蒸気を発生させます。

サウナの熱は筋肉をリラックスさせ、血流を促進するため、筋肉痛やストレスの軽減、あるいは特定の皮膚症状の改善に役立つことがよくあります。サウナのセッション後には、冷たい水浴やシャワーを浴びて冷やし、血流を刺激してリフレッシュすることが伝統的です。これにより、コントラスト療法が生まれます。

定期的なサウナの利用は、デトックスを促進し、心血管の健康を改善し、免疫力を高めると言われています。しかし、サウナは大量の体液を失うため、水分補給と自身の限界を知ることが重要です。特に心臓病を持つ人や妊娠中の女性など、全ての人に推奨されるわけではありません。サウナを始める前には、必ず医療専門家に相談してください。

Chapter 4

09 海外の仕事を個人で受注してドルを稼ぐ

keyword:ChatGPT

◉ ChatGPTがあれば海外の仕事もこなせる

　クラウドソーシングサイトで仕事を探すなら、国内ではランサーズやクラウドワークスが有名ですが、海外にも「Upwork」、「fiverr」、「Clickworker」、「APPEN」といった様々なクラウドソーシングサイトがあります。

　国内サイトで案件の受注や納品の流れを掴んだら、これら海外のサイトを使ってみるのもおすすめです。国内に比べて海外のほうが多種多様な案件が見つかるほか、日本人で日本語ネイティブという強みを活かした仕事も探せます。語学力アップのために請け負ってみるのもいいでしょう。また円安の世の中(2023年現在)では、ドルなど外貨を稼げるのはリスクヘッジにもなります。従来は英語など外国語に堪能でないとハードルが高めだった海外のクラウドソーシングサイトですが、ChatGPTを上手に活用することで、そのハードルを大きく下げることができます。

◉ 海外のクラウドソーシングサイトで受注する

　クラウドソーシングサイトで請け負う仕事は、なにも国内に限定する必要はありません。海外のサイトにも目を向けてみましょう。ここでは「Upwork」を利用してみます。

① Webライティング案件を検索

Upworkで自分のプロフィールの登録を済ませたら、まずは仕事の検索欄で「Japan」「Japanese」などをキーワードに検索してみましょう。日本語ネイティブが取り組みやすい案件が見つかります。

興味のある案件を見つけたら、「Apply Now」ボタンをクリックすると応募できます。

受注した海外の案件にChatGPTで対応する

　請け負った海外の案件は、ChatGPTを活用して完了させましょう。案件の内容だけでなく、英語の自己PR文を作成したり、海外のクライアントとのやり取りをしたりするのにも、ChatGPTは大きな助けになります。

① 英語の自己PR文を作成する

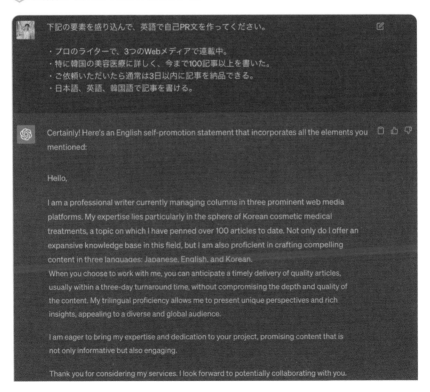

下記の要素を盛り込んで、英語で自己PR文を作ってください。

・プロのライターで、3つのWebメディアで連載中。
・特に韓国の美容医療に詳しく、今まで100記事以上を書いた。
・ご依頼いただいたら通常は3日以内に記事を納品できる。
・日本語、英語、韓国語で記事を書ける。

Certainly! Here's an English self-promotion statement that incorporates all the elements you mentioned:

Hello,

I am a professional writer currently managing columns in three prominent web media platforms. My expertise lies particularly in the sphere of Korean cosmetic medical treatments, a topic on which I have penned over 100 articles to date. Not only do I offer an expansive knowledge base in this field, but I am also proficient in crafting compelling content in three languages: Japanese, English, and Korean.

When you choose to work with me, you can anticipate a timely delivery of quality articles, usually within a three-day turnaround time, without compromising the depth and quality of the content. My trilingual proficiency allows me to present unique perspectives and rich insights, appealing to a diverse and global audience.

I am eager to bring my expertise and dedication to your project, promising content that is not only informative but also engaging.

Thank you for considering my services. I look forward to potentially collaborating with you.

> Best regards,
>
> [Your Name]

海外の案件を引き受ける手助けになるように、自己PRの文章も充実させておきましょう。ChatGPTで「下記の要素を織り込んで、英語で自己PR文を作ってください」と入力し、自分の特徴をいくつか指定すればオーケーです。

② クライアントとのやり取りもChatGPTで

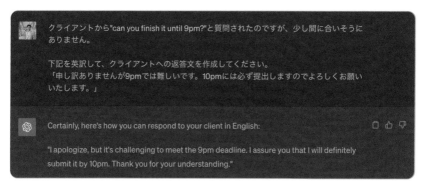

> クライアントから"can you finish it until 9pm?"と質問されたのですが、少し間に合いそうにありません。
>
> 下記を英訳して、クライアントへの返答文を作成してください。
> 「申し訳ありませんが9pmでは難しいです。10pmには必ず提出しますのでよろしくお願いいたします。」

> Certainly, here's how you can respond to your client in English:
>
> "I apologize, but it's challenging to meet the 9pm deadline. I assure you that I will definitely submit it by 10pm. Thank you for your understanding."

海外の案件の場合、クライアントとのやりとりは英語などほかの言語になります。ChatGPTに助けてもらいつつ、わかりやすい英文で効率的にやりとりをしましょう。ここでは、クライアントからの質問に対して、返答の文章を英語でChatGPTに作成してもらいました。

10 AI美女の写真集を発行し収益化する

⬡ 継続的な利益が見込める電子書籍

　電子書籍出版の特に良い点は、一度売れるコンテンツをプラットフォームに出品するだけで継続的に収益が発生するところです。そのため、良いコンテンツを出品すればするほど、ストック型の収入が増えていきます。

　文字情報がメインの電子書籍は、前述のブログ記事と同じようにChatGPTを活用してコンテンツを作ってしまえば、それを電子書籍としても売り出せます。そのためここでは新たなトピックとして、AI美女の写真集を発行して収益化する流れを紹介します。

　AI美女を作成するには、P19で紹介した「Leonardo.Ai」を利用しましょう。また作成した写真集はKindleで販売してみます。魅力的な表紙の作成には、P57で紹介した「Canva」を利用します。

⬡ Leonardo.AiでAI美女を作成する

　まずは何よりも、魅力的なAI美女の作成が重要です。Leonardo.Aiを使いこなして、好みの美女に仕上げてみましょう。

① 好みの雰囲気のモデルを選択する

P20の手順1〜3と同様に、Leonardo.Aiに登録後、トップ画面の「Featured Models」の中から、好みのAIモデルを選択し「Generate with this Model」❶をクリック。

② プロンプトを入力する

モデルを選択するとプロンプト入力画面に切り替わります。「AI Image Generation」の入力欄にプロンプトを入力し❶、「Generate」❷をクリックします。

③ 他の画像のプロンプトを参照する

どのようなプロンプトを入力すべきかわからないときは、他のユーザーが生成した画像を見て、イメージに近い生成画像のプロンプトを参考にするとよいでしょう。Leonardo.Aiホーム画面の「Recent Creations」には他ユーザーの最近の作品が参照でき、気になった画像をクリックすると、「Prompt details」❶などでプロンプトの詳細を参照することができます。

④ AI美女画像の生成

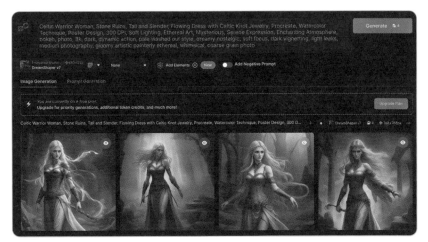

「Generate」をクリックすると画像が生成されます。イメージと違う場合はプロンプトを調整して再度生成することができます。

WordとCanvaで写真集の原稿を仕上げる

　イメージ通りのAI美女が作れたら、画像をダウンロードし、Wordを活用して写真集（電子書籍）の原稿を作成しましょう。目を惹く表紙はCanvaを使って作成できます。

① 写真集の素材をWordファイルに集約

生成した画像をダウンロードし、Microsoftの Wordファイルに貼りつけ、写真集の原稿を作成していきます。

② CanvaでKindle表紙画像のテンプレートを選択

Canvaトップページにあるテンプレート検索欄で
「kindle」と検索すると、Kindleの表紙画像のテンプ
レートが参照できるので、好みのテンプレートを選
択します。

イメージに近いテンプレートを使えば、画像や文字
を入れ替えるだけですぐに表紙が完成します。

◉ Kindle Direct Publishingで販売する

　作成した写真集を、実際にKindleで販売してみましょう。Kindle Direct Publishing（https://kdp.amazon.co.jp/ja_JP）に登録して設定を済ませ、用意した原稿（Wordファイル）とKindleの表紙画像をアップロードし、出版するための必要事項を入力していきます。

　本のタイトルやサブタイトル、説明欄に、しっかりアピールポイントを記入し、関連する単語を色々と含めておきましょう。そうすることで、Amazonでの検索に引っかかりやすくなります。写真集の場合は言語が関係ないので、世界中の人に見てもらえる可能性があります。そのため、日本語だけでなく英語など他の言語でも説明を書いておくといいでしょう。

① 写真集の詳細情報を入力する

Kindle Direct Publishing（https://kdp.amazon.co.jp/ja_JP）に登録し、出版するための必要事項を入力します。本のタイトルやサブタイトル、本の内容説明、関連する単語を入力していきます。

② 原稿と表紙画像アップロードする

作成した写真集の原稿（Wordファイル）とCanvaで作成した表紙画像をアップロードします。

③ 価格などを決めて販売する

価格を決定して登録すると、数日以内に電子書籍の販売が開始されます。あなたが出版した写真集が購入されるか、Kindle Unlimitedの会員に読んでもらえると、印税が振り込まれます。

Chapter

5

ビジネス
活用
アイデア

会話の文字起こし・議事録をつくる

keyword：ChatGPT

◉ GoogleドキュメントとChatGPTで文字化

　取材や会議の際に音声を録音し、文字に起こしたい場合や、録音した内容を議事録にまとめたい時もあるでしょう。そんな時にもあなたの強い味方となるのがChatGPT（P22）などのAIツールです。

　文字起こしが可能なAIツールもありますが、今回はGoogleのオンライン文書作成ツール「Googleドキュメント」（https://docs.google.com/document/）と、ChatGPTを組み合わせます。Googleドキュメントは音声入力に対応しているので、会議の音声をGoogleドキュメントに文字起こししてもらい、そのテキストをChatGPTで整理して要点をまとめましょう。

① Googleドキュメントで音声入力を起動

Googleドキュメントで新規ドキュメントを作成し、上部メニューから「ツール」❶→「音声入力」❷をクリックします。

② 録音した会話を文字起こしする

表示されたマイクボタン❶をクリックして赤くしたら、会話を録音しましょう。パソコンのマイクで拾った音声が自動的にGoogleドキュメントに入力され、文字起こしができます。

③ 文字起こしした会話をChatGPTで整理

文字起こしした以下の文章から「えーと」など不要な箇所をなくし、句読点を追加・誤字脱字を訂正するなどして読みやすい文章にしてください。

えーと 本日は車内でのチャットjptの活用について意見交換をしたいと思います 何か意見のある人はいますか はい 営業部の山田です チャットjptを使うと 営業メールを書く際の効率が上がるときました そのような使い方は可能でしょうか はい いい使い方だと思いますよ しかし チャットCPTに書いてもらった文章をそのまま送ることはやめてください チャットCPTの文章は基本的には自然な内容ですがところどころ不自然な箇所があったり 事実とは違うことを述べていることもありますので注意が必要です なるほどですね 了解しました 他の方意見はどうですか 採用担当の田中です私は新入社員にはあまりちゃんとGPTを使わせたくないなと思っていますというのも まずは自分で0から考えてみる 経験をしてみることも重要だと思うからです 確かに 最初からチャットjptに頼りすぎてしまうのも良くないで

本日は、車内でのChatGPTの活用について意見交換をしたいと思います。何か意見のある人はいますか?

はい、営業部の山田です。ChatGPTを使うと、営業メールを書く際の効率が上がると聞きました。そのような使い方は可能でしょうか?

それはいい使い方だと思います。しかし、ChatGPTに書いてもらった文章をそのまま送ることは避けてください。ChatGPTの文章は基本的には自然な内容ですが、ところどころ不自然な箇所があったり、事実とは違うことを述べていることもありますので注意が必要です。

なるほど、了解しました。他の方はどうですか?

文字起こししたテキストをChatGPTにペーストしたら、「以下の文章から「えーと」など不要な箇所をなくし、句読点を追加・誤字脱字を訂正して読みやすい文章にして」といった感じで、文章を整理してくれるように頼みます。

④ 整理した会話の要点をまとめる

わかりやすく簡潔に、要点を箇条書きでまとめてください。

1. 営業部の山田氏は、ChatGPTを用いて営業メール作成の効率化を提案。ただし、自動生成文はそのまま利用せず、不自然な箇所や誤った情報を確認・修正する必要がある。
2. 採用担当の田中氏は、新入社員に対しては初めからChatGPTを使わせず、自身で考える経験を優先すべきとの意見。
3. 総務の鈴木氏は、ChatGPTの利用に際しての情報漏洩のリスクに対する懸念を表明。マニュアル作成、周知の徹底、研修などによる対策が必要との見解。
4. 全体的に、ChatGPTは便利なツールであるが、その利用には注意が必要であるという意見が共有された。

文章が整理されたら、続けて「要点を箇条書きでまとめてください」と頼んでみましょう。長時間の会議の内容も簡潔に把握できます。

02 アンケートの回答を分析する

◎ 回答から得られる情報を整理してもらう

　アンケートなどで自由に記述された回答は、数が多いと分析するのに手間がかかります。そんな時にも便利なのがChatGPTです。例えば、コミュニティの参加者に対して行った質問とその回答をChatGPTに入力し、これらの回答からコミュニティとしてもっとアピールすべき点をまとめてもらうといった使い方が可能です。

以下のアンケート結果における、「入会して良かったこと」という質問への回答から、このコミュニティのおすすめポイントとしてアピールした方がいい点を整理して教えてください。

・仕事と家庭で多忙でも、先生やメンバーの皆様が明るく活発で、参加すると元気になれることです。
また、じっくり腰を据えてWeb3について学べます。
・東京開催でのオフ会は参加できないのですが定期開催されるオンライン講座やコミュニティ投稿で最新のNFT、メタバース、ブロックチェーン技術を用いた事例を学ぶ事ができます。海外が先行しているWEB3の技術やビジネス上での実装等の情報をメンバー限定で得られる事も強みだと思います。
・オンライン講座だけでなく、オフラインでの情報交換が定期的に実施されること。なかなか聞きにくいことも気兼ねなく質問でき、実例を用いてわかりやすく回答いただけるので、だんだんイメージが沸いてきます。私も含めて経験や知識が少ない方でも、ついてこられるように気を配っていただけて有難いです。

アンケートの回答から見て取れるコミュニティのおすすめポイントは以下の通りです：

1. 元気なコミュニティ: 仕事や家庭で多忙な人でも、コミュニティのメンバーや指導者が活気に満ちていて、参加するだけで元気がもらえる環境が提供されています。
2. Web3学習の機会: コミュニティでは、じっくりとWeb3（次世代のインターネット）について学ぶ機会があります。
3. 最新技術情報の提供: オンライン講座やコミュニティの投稿を通じて、最新のNFT、メタバース、ブロックチェーン技術を用いた事例を学ぶことができます。海外で先行するWeb3の技術やビジネス上での実装等の情報も、メンバー限定で得られます。
4. 定期的なオンライン・オフライン交流: オンラインの講座だけでなく、オフラインでの情報交換も定期的に実施されます。質問しやすい環境があり、経験や知識が少ない人でも参加しやすい配慮がされています。

以上の点をアピールすることで、コミュニティの魅力をより多くの人に伝えることができる

03 CSVやExcelファイルの データを分析する

keyword:ChatGPT

分析したデータからグラフ作成も可能

ChatGPTの「Advanced Data Analysis」(P53)を使うと、アップロードしたCSVやExcelファイルのデータを分析することもできます。ファイルの内容にどのような項目のデータが含まれているかを読み取り、さらにそのデータを元にしたグラフを作成することも可能です。

① 「Advanced Data Analysis」を有効にする

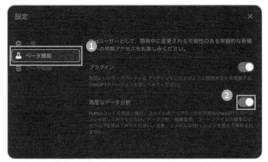

P53で解説している通り、ChatGPT画面左下のユーザー名から「プラス設定&ベータ」→「ベータ機能」❶→「高度なデータ分析」をオン❷。続けてChatGPT画面上部の「GPT-4」❸にカーソルを合わせて「Advanced data analysis」にチェックしておきます❹。

② CSVファイルをアップする

入力欄の左にある「+」ボタンをクリックし、分析したいCSVなどのファイルをアップロードします。ここでは東京都が公開しているCSVファイル（「東京都統計年鑑 令和2年」2 人口・世帯/ 2-1 人口の推移）をアップロードしました。

③ データ内容について分析してもらう

ファイルをアップしたら、「このデータセットについて説明してください」と質問してみましょう。ファイルの内容を分析し、どのような項目についてまとめられたデータかを示してくれます。

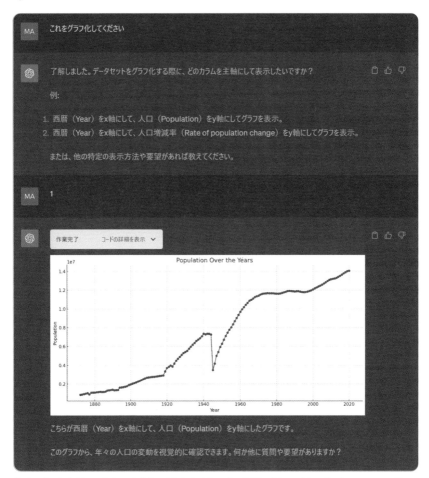

続けて「これをグラフ化してください」と伝えましょう。必要に応じて、どのデータについてのグラフを希望するかも指定します。すると、このようにデータを元にしたグラフが作成されます。また、作成したグラフから読み取れる内容も提示してくれます。なお、データに日本語が含まれるとグラフ化した際に文字化けするようです。この場合は「日本語は英語表記にしてください」などと伝えると文字化けが直ります。

Chapter 5

04 メール文を一瞬で作る

keyword:ChatGPT Writer

◉ メールの下書きに最適な拡張機能

　メール文（の下書き）を作る際もChatGPTは便利ですが、いちいちChatGPTを開くのが面倒なら「ChatGPT Writer」（https://chrome.google.com/webstore/detail/chatgpt-writer-write-mail/pdnenlnelpdomajfejgapbdpmjkfpjkp/）というGoogle Chromeの拡張機能が便利です。「こんなメール文を作って」と指定するだけで、メールのサンプル文をGmailですぐに表示させることができます。

① ChatGPTにログインしておく

ChatGPT Writerを利用するには、あらかじめChatGPTにログインしておく必要があります。P22の手順に従ってユーザー登録とログインを済ませましょう。

② 拡張機能をChromeに追加する

Chromeウェブストアにアクセスし「ChatGPT Writer」と検索してのページを開いたら、「Chromeに追加」❶→「拡張機能を追加」で機能を追加します。

③ ChatGPT Writerの設定を開く

Gmailなどの画面を開いた上で、Chromeの上部ツールバーにある「拡張機能」ボタン❶をクリックし、表示される拡張機能一覧から「ChatGPT Writer」を探してクリック❷。設定画面を開きます。

④ 作成したいメール内容を入力

「Briefly enter what do you want to email」欄❶に作成したいメール内容を簡潔に入力しましょう。日本語で問題ありません。ここでは「新入社員歓迎会の案内」と入力して「Generate Email」ボタン❷をクリックします。なお、「Email context」欄には受信したメール内容を貼り付けて返信文を作成できます。

⑤ メール例が生成される

件名や本文、日時や場所などの入力欄が記載された、メールのテンプレートが作成されました。「Copy Response & Close」❶をクリックすると内容をコピーできるので、メールの作成画面に貼り付けて利用しましょう。

⑥ Gmailのメール作成画面から利用する

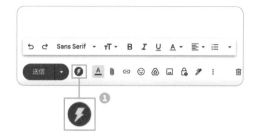

❶

Gmailを利用している場合は、もっと手軽に利用できます。新規メールの作成画面を開いたら、下部メニューに「Chat GPT Writer」ボタン❶が表示されているのでクリック。設定画面が開くので、「Briefly enter what do you want to email」欄にメール内容を入力してメール例を作成しましょう。

COLUMN

ChatGPT Writer

⬡ メール本文を生成するChrome拡張機能

　メールの簡単な内容やタイトルを入力するだけで、その内容に沿ったメールのサンプル文を生成してくれる、Google Chromeの拡張機能。失礼にならない文章や丁寧な言い回しが必要な仕事メールの作成に最適です。なお、利用するにはあらかじめChatGPTにログインしておく必要があります。

COLUMN

丁寧な謝罪文を自動生成

　仕事で何かミスをしてしまった際など、メールや手紙で謝罪文を書かなければいけないのに、どのように書いたら良いかわからないこともあるのではないかと思います。そんな時は思い切って、ChatGPTに文章を考えてもらうのもひとつの手です。ここでは、製品の入荷に関するミスに対して、ホームページに掲載する謝罪文の原案を考えてもらいました。

 我が社はインドの商品を輸入し、販売する事業を営んでいます。
新入社員がインド英語をうまく理解できず、商品の入荷時期を間違えて認識してしまった結果、在庫が足りなくなってしまいました。
その結果、インド料理屋などに迷惑をかけてしまいました。

ホームページに掲載する謝罪文を書いてください。

 題名：誠に申し訳ございません - 在庫不足についての重要なお知らせ

私たちの会社はお客様のご要望と期待を一番に考え、良質なインドの商品をご提供することに力を注いでいます。しかし、先日の在庫不足により、私たちのサービスがお客様の期待を満たすことができず、大変なご迷惑をお掛けしてしまったこと、心よりお詫び申し上げます。

この度の不手際は、新入社員がインド英語を完全に理解できず、商品の入荷時期を誤って認識した結果、予期しない在庫不足に繋がる事態が発生しました。特に、これにより影響を受けたインド料理店の皆様、その他の関係者の皆様に対して、深くお詫び申し上げます。
この度の不手際は、新入社員がインド英語を完全に理解できず、商品の入荷時期を誤って認識した結果、予期しない在庫不足に繋がる事態が発生しました。特に、これにより影響を受けたインド料理店の皆様、その他の関係者の皆様に対して、深くお詫び申し上げます。

この事態を重く受け止め、今後はより厳重な教育体制を敷き、これからは語学研修の充実を図り、新入社員ひとりひとりが正確な情報を理解できるよう努力いたします。また、在庫管理のシステムも見直し、これ以上の同様の問題が発生しないよう最善を尽くします。

06 | UXを改善する

⬡ ユーザーの満足度を高める提案をしてもらう

　様々なサービスが溢れている現代では、商品やサービスを通じて得られる体験（ユーザーエクスペリエンス、UX）価値が低いと、すぐにユーザーが離れていってしまいます。どのようにUXを改善したらいいかわからないなら、ChatGPTに聞いてみましょう。

　例えばアロマ販売の通販アプリを提供する場合。以下のような質問で、ChatGPTにUXを改善するための提案をしてもらえます。必要に応じて質問項目を増やし、より良いUXを実現してください。

●ユーザーに対する効果的な質問を考えてもらう

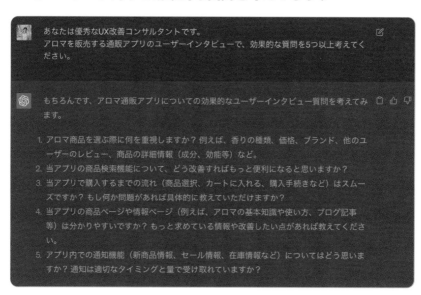

あなたは優秀なUX改善コンサルタントです。
アロマを販売する通販アプリのユーザーインタビューで、効果的な質問を5つ以上考えてください。

もちろんです。アロマ通販アプリについての効果的なユーザーインタビュー質問を考えてみます。

1. アロマ商品を選ぶ際に何を重視しますか？例えば、香りの種類、価格、ブランド、他のユーザーのレビュー、商品の詳細情報（成分、効能等）など。
2. 当アプリの商品検索機能について、どう改善すればもっと便利になると思いますか？
3. 当アプリで購入するまでの流れ（商品選択、カートに入れる、購入手続きなど）はスムーズですか？もし何か問題があれば具体的に教えていただけますか？
4. 当アプリの商品ページや情報ページ（例えば、アロマの基本知識や使い方、ブログ記事等）は分かりやすいですか？もっと求めている情報や改善したい点があれば教えてください。
5. アプリ内での通知機能（新商品情報、セール情報、在庫情報など）についてはどう思いますか？通知は適切なタイミングと量で受け取れていますか？

●ユーザーペルソナ（ユーザー像）を設定してもらう

> アロマを販売する通販アプリのユーザーのペルソナを、表形式で教えてください。

ユーザーペルソナの作成は、製品やサービスのターゲットユーザーを理解し、UXの改善を行う上で重要です。以下に、アロマ通販アプリのターゲットユーザーに対するペルソナを3つ作成してみます。各ペルソナは異なるユーザータイプを代表しています。

ペルソナ名	年齢	職業	ニーズ	利用目的	利用頻度	好み	特徴
ペルソナ1：美容と健康に敏感なリサ	30	ヨガインストラクター	アロマの知識や使い方、高品質な商品	自分と生徒のリラクゼーションと健康増進	週に3-4回	自然素材やオーガニック商品	アロマテラピーの知識があり、商品選びにはこだわりがある
ペルソナ2：忙しいビジネスマン、ケンジ	45	ITマネージャー	ストレス解消、睡眠改善	家やオフィスでのリラクゼーション	月に1-2回	シンプルで使いやすい商品	短時間でのストレス解消やリラクゼーションを求めている
ペルソナ3：アロマ初心者のユミコ	25	フリーランサー（イラストレーター）	アロマの基本知識、初心者向け商品	仕事や自宅でのリラクゼーションと創造性の向上	週に1回	詳しい説明やレビューのある商品	アロマについて学びたいと思っている、商品選びに不安がある

●ユーザーフロー（アプリの経路）を考えてもらう

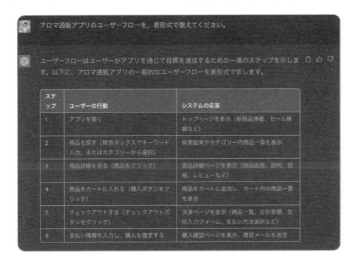

> アロマ通販アプリのユーザーフローを、表形式で教えてください。

ユーザーフローはユーザーがアプリを通じて目標を達成するための一連のステップを示します。以下に、アロマ通販アプリの一般的なユーザーフローを表形式で示します。

ステップ	ユーザーの行動	システムの応答
1	アプリを開く	トップページを表示（新商品情報、セール情報など）
2	商品を探す（検索ボックスでキーワード入力、またはカテゴリーから選択）	検索結果やカテゴリー内商品一覧を表示
3	商品詳細を見る（商品をクリック）	商品詳細ページを表示（商品画像、説明、価格、レビューなど）
4	商品をカートに入れる（購入ボタンをクリック）	商品をカートに追加し、カート内の商品一覧を表示
5	チェックアウトする（チェックアウトボタンをクリック）	決済ページを表示（商品一覧、合計金額、住所入力フォーム、支払い方法選択など）
6	支払い情報を入力し、購入を確定する	購入確認ページを表示、確認メールを送信

●購入画面に必要な要素をまとめてもらう

 購入画面に必要なUI（ユーザーインターフェース）の要素の一覧を、表にまとめて教えてください。

購入画面でのUI要素は、ユーザーが商品をスムーズに購入できるように設計されていることが重要です。以下に一般的な購入画面で必要なUI要素の一覧を表にまとめてみます。

UI要素	詳細
カート内商品一覧	ユーザーが購入予定の商品の一覧。商品名、画像、価格、数量等の情報を含む。
合計金額	カートに入れた商品の合計金額。税込み金額、送料等も表示される。
割引コード入力欄	ユーザーがプロモーションコードやクーポンコードを適用するための入力欄。
住所入力フォーム	配送先の住所を入力するためのフォーム。名前、住所、電話番号等を含む。
支払い方法選択	支払い方法（クレジットカード、デビットカード、電子マネー等）を選択するためのオプション。
支払い情報入力フォーム	選択した支払い方法に応じて必要な情報（カード番号、有効期限、セキュリティコード等）を入力するためのフォーム。
注文確認ボタン	全ての情報を確認し、注文を確定するためのボタン。

●購入者向けのメッセージを作成してもらう

 UXライターとして、購入が完了したお客様向けのメッセージを5つ以上考えてください。

 もちろんです。購入が完了したお客様に向けたメッセージは、ユーザーエクスペリエンスの重要な部分であり、顧客の満足度を高めるためにも非常に重要です。以下にいくつかの提案をします。

1. "お買い上げいただき、誠にありがとうございます！注文は無事に完了しました。商品の到着まで、しばらくお待ちくださいませ。"
2. "注文が完了しました。［お客様の名前］様のアロマ体験が一層豊かになることを、私たちは心から願っています。"
3. "素晴らしい選択をいただき、ありがとうございます！注文は確定しました。リラックスとリフレッシュの時間が、すぐにお届けされます。"
4. "ご購入ありがとうございます！［お客様の名前］様の日々が、私たちのアロマ商品で一層素晴らしくなることを期待しています。"
5. "［お客様の名前］様、ありがとうございます！あなたのアロマがすぐに到着します。その間、アプリ内の豊富なアロマ知識で、より深いリラクゼーションの体験をお楽しみください。"

これらのメッセージは、ユーザーに対する感謝と期待を伝えるとともに、その後の行動（例えば、アプリ内の知識コンテンツの閲覧など）を促す役割も果たします。

07 マーケターの仕事を効率化する

keyword:ChatGPT

◉ サービスの売上を伸ばす提案をしてもらおう

　雨後の筍のように新しいサービスが誕生している現代では、効率的にサービスの売上を伸ばせるマーケターの需要が高まっています。そんなマーケターの仕事も、ChatGPTに助けてもらって効率化してみましょう。

　例えばAIに関する情報を発信するWebメディアのアクセス数を伸ばしたい場合。以下のような質問で、ChatGPTにマーケターの仕事を効率化するためのヒントを教えてもらうことができます。

◉開封率が上がるメルマガの件名を考えてもらう

> AIに関する情報を発信するメルマガの開封率を上げたいです。
> 開封率を上げられそうなメルマガの件名を10個教えてください。

> メルマガの件名は、開封率に大きな影響を与えます。興味を引く、関連性のある、そして何よりもクリックしたいと思わせるような件名が重要です。以下にAIに関する情報を発信するメルマガに向けた、開封率を上げる可能性がある件名の例をいくつか挙げてみます。
>
> 1. "未来のAI：次の10年で何が変わるのか"
> 2. "AIの秘密を明らかにする：業界の専門家が語る最新トレンド"
> 3. "AIが変える世界：これまでにないビジョンを発見する"
> 4. "今すぐ読むべきAIの最新情報"
> 5. "AIの驚くべき可能性：未来を先取りする5つの方法"
> 6. "進化するAI：あなたが知らない最新のブレークスルー"
> 7. "逃したくないAIニュース：今週の主要な話題をチェック"
> 8. "AIとあなた：AIが日々の生活に与える影響"
> 9. "AIの真実：驚きの事実とデータを公開"
> 10. "AIがもたらす新たな価値：ビジネスにおける最新の成功事例"
>
> これらの例があなたのニーズに適合することを願っています。ただし、件名が重要であるとはいえ、その他の要素もメールの開封率に影響します。例えば、送信時間や日付、メールの内容と件名の一貫性、そして受信者の過去の行動などが考慮されるべきです。最適な戦略を見つけるために、様々な方法を試してみて、結果を追跡し、改善していくことが大切です。

●SNSで発信すべき内容を考えてもらう

 AIに関する情報をTwitterで効果的に発信したいです。
これからの1ヶ月間、それぞれの日に何を発信するのが効果的かリストにまとめて教えてください。

 効果的なTwitterの発信では、トレンドの内容、エンゲージメントを促す内容、自社の活動、そして読者が価値を見出す情報をバランス良く混ぜ合わせることが大切です。以下に、1ヶ月間の投稿のアイデアを示します。

1. AIの最新トレンドについてのブログ記事のシェア。
2. AIが社会に与える影響についての自分の意見を共有。
3. 最近読んだAIに関する興味深い論文の要約とリンク。
4. AI技術の歴史についての投稿。
5. AIに関する質問をフォロワーに投げかけ、議論を促す。
6. 自社が提供するAIサービスや製品の特徴を紹介。
7. AIの先駆者や業界リーダーの名言を引用。
8. あなたのAIに関するミッションとビジョンを共有。
9. AIのエシカルな問題についての意見を共有。
10. AIに関連したイベントやウェビナーの告知。
11. AI技術が解決できる具体的な問題についての投稿。
12. AIの現在の制限やチャレンジについて議論。
13. 自社のAI製品やサービスのユーザーケーススタディを共有。
14. 最近のAIの成功事例をハイライト。
15. AIに関するポッドキャストやビデオコンテンツのリンクを共有。

●採用面接の質問事項を考えてもらう

 私の右腕となる優秀なマーケティングマネージャーを雇いたいです。
採用面接の際に尋ねるべき質問とその模範回答を10個考えてください。

 マーケティングマネージャーの採用面接では、候補者の技術的なスキル、リーダーシップスキル、創造力、問題解決能力などを評価することが重要です。以下にいくつかの質問と、それぞれの質問に対する模範的な回答を提案します。

1. **質問**：あなたがこれまでに関わったマーケティングキャンペーンの中で最も成功したものについて教えてください。また、その成功をどのように測定しましたか？
   模範回答：「私が前職で手掛けたブランドリニューアルキャンペーンが最も成功した例です。新しいブランド戦略を設定し、マーケティングチーム全体でそのビジョンを共有しました。その結果、ウェブサイトのトラフィックが50%増加し、オンラインのリード獲得数も40%増えました。これらのメトリクスを使用して、キャンペーンの成功を測定しました。」
2. **質問**：あるプロジェクトで遭遇した困難な状況と、それをどのように解決したかを教えてください。

08 気になる論文を効率的に検索する

keyword:Elicit

◉ 専門的な文献をElicitで探す

　専門的な内容を調べる際に、普通のWeb検索だけでなく、論文などの文献を調べる人もいるでしょう。そういった文献の検索に活用されているのが、機械学習を用いたAIツール「Elicit」(https://elicit.com/) です。

　Google検索のように気になるキーワードを入力すると、そのキーワードに関連した論文を表示してくれます。しかも各論文の要約も表示してくれます。そのため、論文の内容が興味のあるものかどうか迅速に判断でき、効率的に論文を探すことができます。

① ユーザー登録を済ませる

Elicitにアクセスしたら「Sign Up」をクリック。メールアドレスとパスワード、フルネームを入力して「SIGN UP」でユーザー登録を済ませましょう。GoogleアカウントやGitHubアカウントで認証してログインすることもできます。

② キーワードを入力して検索

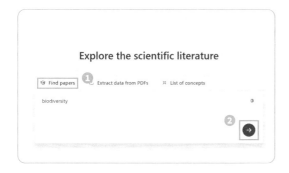

論文を探すには「Find papers」タブ❶を選択した状態でキーワードを入力します。ここでは「biodiversity(生物多様性)」というキーワードを入力して「→」ボタン❷で検索します。

③ 論文のタイトルと要約を確認する

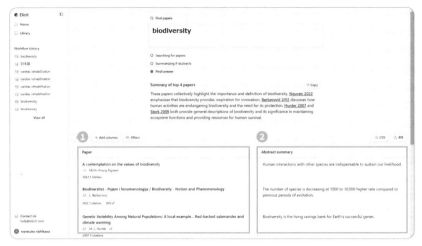

検索結果の「Paper」欄①に論文のタイトルが表示され、「Abstract summary」欄②にはその論文の要約が表示されます。

④「Sort」や「Add columns」、「Filters」で絞り込む

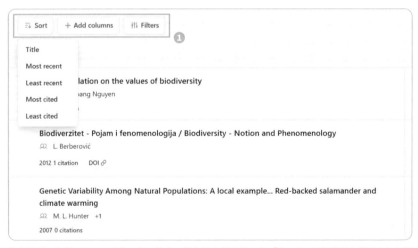

検索結果の上部メニューボタン①で論文の絞り込みが可能です。「Sort」では新着順や引用された順にソートできます。「Add columns」では「Paper」と「Abstract summary」以外の項目列を追加できます。「Filters」ではPDFの有無や出版年、研究の種類などでフィルタできます。

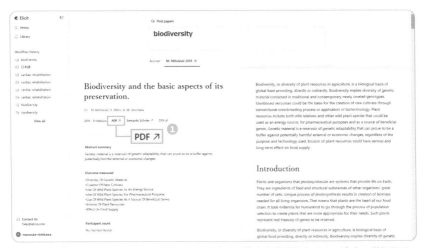

「Filters」で「Has PDF」をオンにすると、PDFで読める論文を絞り込めます。論文の詳細画面で「PDF」ボタン❶をクリックすると、PDFで論文の原本を読めます。DeepLなどでPDF全体を翻訳すれば、手軽に内容を理解できるでしょう。

COLUMN

Elicit

◉ 知りたい内容に関する論文を探し出せる

　キーワードを入力すると、そのキーワードに関連すると思われる論文とその要約を表示してくれるAIサービス。無料で5000クレジットが付与され、検索機能などを利用することでクレジットを消費します。

COLUMN

09 パワポ資料を数分で作る

keyword：ChatGPT、Gamma

◉AIでプレゼン資料の作成時間を大幅短縮

PowerPointでのプレゼン資料作成は、思った以上に時間がかかるものです。特に営業やコンサルタントといった職種の人は、日々資料作成に多大な時間と労力を注ぎ込んでいることでしょう。

そんな資料作成も、AIツールを使えば大幅に効率化できます。方法はいくつもありますが、今回はChatGPTの「Advanced Data Analysis」（P53）を使う方法と、ChatGPTおよびスライド生成ツールの「Gamma」（https://gamma.app/）を使う方法を紹介します。簡単にゼロから資料を作ってみたい場合や、とりあえず資料の流れを作ってみたい場合などにおすすめです。

ChatGPTのAdvanced Data Analysisはベータ機能の「高度なデータ分析」をオンにすることで、PowerPointファイルを生成することができます。

① 高度なデータ分析をオン

P53で解説している通り、ChatGPT画面左下のユーザー名から「プラス設定&ベータ」→「ベータ機能」❶→「高度なデータ分析」をオン❷。続けてChatGPT画面上部の「GPT-4」❸にカーソルを合わせて「Advanced Data Analysis」にチェックしておきます❹。

② ChatGPTに資料の構成を考えてもらう

あなたは優秀な営業マンです。観光を盛り上げたい自治体に、TikTokを活用したSNSマーケティングの施策を提案する提案資料のアウトラインを箇条書きで教えてください。絶対に受注したくなるような内容でお願いします！

TikTokは現在の若い世代に非常に人気があり、視覚的でエンゲージメントの高いコンテンツを提供することが可能です。以下のようなアウトラインを使って、自治体の観光プロモーションを強化する提案を行えます：

1. イントロダクション
* 市場背景とTikTokの影響力
* TikTok利用ユーザーのデモグラフィック情報
* SNSマーケティングの重要性

2. 目的
* 観光業の活性化
* 若年層のターゲット層の拡大
* 地域ブランドの向上

まずはChatGPTに資料の構成を考えてもらいます。ここでは「あなたは優秀な営業マンです。観光を盛り上げたい自治体に、TikTokを活用したSNSマーケティングの施策を提案する提案資料のアウトラインを箇条書きで教えてください。絶対に受注したくなるような内容でお願いします！」と依頼しました。

③ PowerPointファイルを生成してもらう

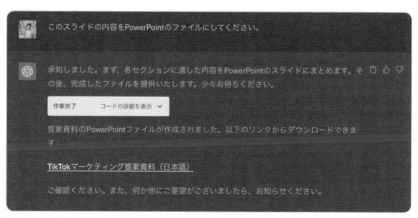

資料の構成を提案されたら、続けて「このスライドの内容をPowerPointのファイルにしてください」と依頼しましょう。PowerPointファイルのダウンロードリンクが表示されます。

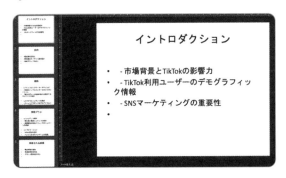

ダウンロードリンクをクリックすると、構成を反映したPowerPointファイルをダウンロードできます。必要に応じてデザインなどを編集しましょう。

◎ ChatGPTとGammaを使う方法

　ChatGPTの有料機能であるAdvanced Data Analysisを使わなくても、スライド生成ツールのGammaを利用すれば、ChatGPTに考えてもらった構成内容で見やすいスライドを自動作成してくれます。Gammaと組み合わせることで、スライド内容に沿った画像も自動的にAIが生成して配置してくれるので、より視覚的にわかりやすいスライドに仕上がります。ただしAIを使ったスライド生成にはクレジットを消費します。

① ユーザー登録を済ませる

前述の通り、あらかじめChatGPTにスライドの内容を考えてもらいます。次に、Gammaにアクセスして「無料でサインアップ」❶をクリック。ユーザー登録を済ませましょう。メールアドレスのほかに、Googleアカウントでも認証が可能です。最後にワークスペースを作成していくつかの設問に答えれば登録完了。

❶ 無料でサインアップ

② 新規作成でテキスト変換を選択

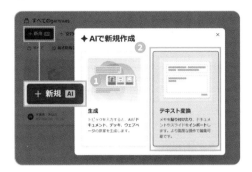

ユーザー登録を済ませたら、左上の「ホーム」ボタンででホーム画面に戻って、「＋新規AI」①→「テキスト変換」②をクリックします。

③ ChatGPTに考えてもらったプレゼン資料の構成をペースト

あらかじめChatGPTに考えてもらったプレゼン資料の構成を「コンテンツを追加または貼り付け」欄①にペーストします。

④ 日本語で出力するよう指定して作成

「指示の入力」欄①のプロンプトに「Generate the presentation in English」と入力されているとスライドが英語で生成されるので、「English」を「Japanese」に修正しておきましょう②。あとは「生成」③をクリックします。生成にはクレジットを40消費しますが、無料で400クレジットが付与されています。

⑤ テーマを選択する

右欄から好みのテーマを選択して「続ける」①をクリックします。テーマはあとからでも自由に変更できます。

⑥ スライドが生成された

スライドが自動で生成されました。内容に沿った画像なども自動的に生成されてスライドに組み込まれています。あとは自分で細かな内容を修正して、「共有」①→「エクスポート」②から出力できます。

COLUMN

Gamma

◉ 画像付きスライドを手軽に生成できる

　日本語のプレゼン資料を自動生成できるAIサービス。プレゼン用の画像もAIが組み込んでくれます。生成などにはクレジットを消費し、無料版は400クレジットが付与され作成したスライドに透かしが入ります。月額の有料プランでは毎月400クレジットが付与され透かしが消えます。

COLUMN

10 テキスト1行でLPを作る

簡単なアイデアをAIが形にしてくれる

　ビジネスアイデアはあるんだけどなかなか形にできないという場合は、AIにあなたのプロダクトのLP(ランディングページ:ユーザーが最初にアクセスするページ)を作成してもらいましょう。

　「Mixo」(https://www.mixo.io/)という、ビジネスアイデアをテキスト1行で入力するだけで、LPを作成してくれるAIツールがあります。

　Mixoは主に、スタートアップなどのスモールビジネス向けに展開されているサービスです。エンドユーザーにメールアドレスを登録してもらうためのLPの作成から仮説検証、プロダクトの成長までを一貫してサポートしてくれます。執筆時点で、200万以上のサイトが作成されたとのことです。

　なお、Mixoはログイン不要で利用できますが、作成したLPを編集して公開するには有料プラン(月額9ドルから。7日間の無料試用期間あり)に加入する必要があります。

Mixoでテキストからページを作成する

① アイデアを入力する

「Mixo」にアクセスしたら、「Get Started for Free」をクリック。続けて表示される入力欄①にLPのアイデアを入力します。日本語にも対応しているので、ここでは「大きなコワーキングスペースのあるサウナ」と入力して「Continue」②をクリック。

② LPの目的を設定する

LPの目的を選びましょう。「メルマガの読者を増やしたい」「問い合わせを増やしたい」「Webサイトに誘導したい」などの選択肢の中から目的を選び、「Generate」❶をクリックします。

③ LPが生成される

1行のテキストから日本語のLPが生成されました。編集を行うには左上の「Save and Continue」❶クリックします。

④ ユーザー登録を行う

ユーザー登録が求められるので、メールアドレスとパスワードを入力するか、Googleアカウントで認証を済ませます。7日間は無料で試用できますが、その後は編集や公開を行うのに月額9ドルからの有料プランへの加入が必要です。

⑤ LPの内容を編集する

左欄の鉛筆マーク❶をクリックすると、テキストの編集や画像の差し替えなどを行えます。有料プランでは、カスタムドメインの利用や、SEO対策、GoogleアナリティクスおよびリティクスおよびGoogleタグマネージャーとの接続といった機能も利用できます。

⑥ 作成したLPを公開する

編集を終えたら、「公開」ボタンをクリックすることで、URLを生成してサイトを公開できます。

COLUMN

Mixo

● ごく短いテキストからLPを自動で生成

　ビジネスアイデアをたった1行入力するだけでLPを自動生成してくれるサービス。作成自体は無料ですが、作成したLPを編集したり公開するには有料プランの登録が必要です。7日間の無料試用が可能で、1ページのサイトを作成できるプラン、5ページのサイトを作成できるプラン、50ページのサイトを作成できるプランなどがあります。

COLUMN

11 見た目を良くして オンライン通話する

keyword:xpression camera

ビデオ通話中に映る姿をリアルタイムで変更

　コロナ禍の到来により急速に広まったビデオ通話。Zoomなどを使ったオンライン会議も一般的になりましたが、顔を映して多人数と会話することに気疲れしている人も多いのではないでしょうか。

　そんな悩みを解決してくれるサービスが「xpression camera」(https://xpressioncamera.com/) です。xpression cameraは、カメラに映る人間の表情をAIがリアルタイムで認識し、表情に合わせてAR(拡張現実)エフェクトを適用してくれるツールです。

　例えば、パジャマ姿なのに自分のスーツ姿の写真を使ってオンライン会議に参加したり、自分の顔画像を会話に応じて動かし実際のカメラはオフにしたりしておくといった使い方が可能です。自分の写真を使わず、他人の写真を使ってその人になりきって話すこともできます。また「笑う」「泣く」などの表情を、ボタンひとつでとらせることができます。

① xpression cameraをインストールする

xpression cameraの公式サイトにアクセスし、Windows版またはMac版のインストーラをダウンロードして❶、インストールを済ませましょう。

② ユーザー登録を済ませる

xpression cameraを起動したら、名前やメールアドレスなどを入力して「Create New Account」❶をクリック。ユーザー登録を済ませます。

③ 顔や背景を別のものに置き換える

「フェイス」タブ❶で自分の顔を差し替える画像を選択しましょう❷。顔の向きや表情を変えると、差し替えた画面内の顔の向きや表情も追随して変化します。また「バーチャル背景」タブでは背景画像の変更も可能です。無料版ではデフォルトの顔や背景から数種類しか選択できませんが、有料プランに登録すると自分でアップした顔写真や背景を自由に使えるようになります。

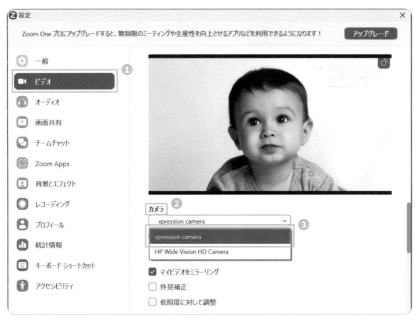

実際にZoomでのビデオ通話中に、xpression cameraで差し替えた画面を使ってみましょう。まずxpression cameraを起動して画像を選択し、準備を済ませておきます。続けてZoomを起動し、「設定」→「ビデオ」①で「カメラ」のメニュー②から「xpression camera」を選択③。すると、xpression cameraの画面がZoomと連携するようになります。

xpression camera

◉ ビデオ通話の顔を差し替えられる

　ビデオ通話中などでWebカメラに映る自分の顔を、他人の顔に差し替えできるアプリ。表情の変化などもリアルタイムで追随します。対応OSはWindows 10（Anniversary Update）以降とmacOS 10.15以降。無料版ではイーロン・マスクやモナリザなど決まった顔写真や背景しか選択できませんが、月額8ドルの「Pro」版では顔写真や背景を自分でアップロードして使えます。月額49ドルの「Premium」版ではAIアバターなどの機能が追加されます。

12 | アバターにプレゼンしてもらう

keyword:D-ID、ChatGPT

アバターが原稿を読み上げてくれる

　動画に自分でナレーションを入れる場合、慣れていないと、どうしても素人っぽさが出てしまいます。そんな時は、AIアバターにナレーションしてもらうのもひとつの方法です。

　「D-ID」（https://www.d-id.com/）というサービスを利用すると、ユーザーの入力したテキストや画像を元に顔や文章を合成し、アバターがテキストを読み上げてくれます。単に文章を音声にするだけでなく、アバターが画面上に現れて身振り手振りも交えながらプレゼンしてくれます。

　多少の不自然さは残りますが、簡単に良い感じのプレゼン動画が作れるので、ビデオメッセージやEラーニングコンテンツ、顧客向けのデモ動画やマーケティング動画の作成などに活用できます。

① ChatGPTで原稿を作成する

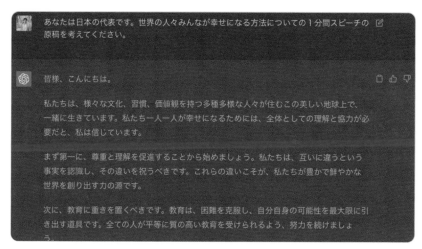

あらかじめアバターに読み上げてほしい原稿を用意しておきましょう。今回はChatGPTで「世界の人々が幸せになる方法についての1分間のスピーチ」の原稿を考えてもらいました。

② D-IDにアクセスする

D-IDにアクセスし、トップページの「Start Free Trial」をクリックするとメイン画面が開きます。続けて左下の「Guest」❶→「Login ／ Signup」❷をクリックしましょう。

③ ユーザー登録を済ませる

「Sign up」❶をクリックし、メールアドレスを入力して「Continue」❷をクリック。認証を済ませてユーザー登録します。またはGoogleアカウントやApple ID、Linkedinアカウントでも認証できます❸。

④ アバターを選択する

ログインしたら、左欄の「Create Video」ボタン❶をクリック。アバターの選択画面になるので、一覧からプレゼンをしてもらう人物を選択しましょう❷。

右のScript欄 ❶ に
ChatGPTで作成し
た原稿を貼り付け
ます。「Language」
は「Japanese」 に
変更しておきまし
ょう❷。その下で声
の種類や話し方の
スタイルなども変
更できます。設定が
済んだら上部の
「GENERATE VID
EO」❸をクリック
します。

⑥ アバターが原稿を読み上げてくれる

「GENERATE」❶をクリックし、しばら
く待つと動画が完成します。動画の作成
にはクレジットを消費しますが、無料ア
カウントでも20クレジットが付与され
ます。

D-ID

⬡ 写真に読み上げてもらうことができる

　用意した原稿を自分で読み上げなくても、アバターに読み上げてもらうこ
とでプレゼン動画を手軽に生成できるサービス。動画の生成にはクレジット
を消費し、無料版は20クレジットが付与され作成した動画に透かしが入りま
す。ほかに、利用できるアバターの数や作成できる動画時間が長くなる月額
有料のプランなどが用意されています。

13 | 質の高い研修動画を手軽に作る

◉ テンプレートとアバターを選ぶだけで完成

　YouTubeやTikTokの普及から見て取れるように、このような動画コンテンツの需要は年々高まっています。研修や自習の際に、動画で受講された方も多いのではないでしょうか。しかし、動画を作るには手間と費用がかかります。コンテンツを用意し、カメラを用意し、必要であればプレゼンターやナレーターを手配し、編集もしっかりと行わなければなりません。

　ところが「Synthesia」(https://www.synthesia.io/) という動画作成ツールを活用することで、上記の手間や費用を大幅に削減することができます。Synthesiaなら、テキストファイルをアップロードするだけで、アバターが話す動画コンテンツを自動生成できます。AmazonやAccenture、BBCなど大手グローバル企業でも活用されています。

　用意されているアバターの数は140種類以上(2023年10月時点)あり、あらかじめ自分の顔を撮影したデータを読み込めば、自身のアバターが読み上げている動画を作成することも可能です。また、パワーポイントの資料にアバターを挿入し、テキストを読んでもらう機能もあります。

　現在は120以上の言語に対応しており、英語はもちろん日本語にも対応しています。自社のプロダクトを海外にPRしたい際に翻訳ツール「DeepL」で英語に翻訳し、Synthesiaで動画を作成するといった使い方も考えられます。

　すべての機能を使うには有料プランに申し込む必要がありますが、無料でもいくつかの機能を試せるので、「研修動画をコスパよく作りたい」「プロダクトの説明動画を作成したい」といった方にぜひ体験してほしいツールです。

① 「Create a free AI video」をクリック

Synthesiaにアクセスしたら、「Create a free AI video」ボタン❶をクリックしましょう。アカウント登録不要で、無料で試すことができます。

② テンプレートを選択し台本を入力

「Select video template」でテンプレートを選択し❶、「Edit your video script in any language」に台本を日本語で入力したら❷、「Generate Free AI Video」ボタン❸をクリックします。

③ 名前やメールアドレスを入力しビデオ作成

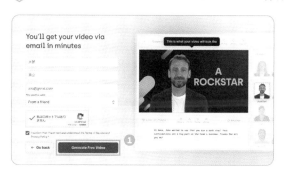

名前やメールアドレスを入力し、どこでSynthesiaを知ったかを選択したら、reCAPTCHAと利用規約にチェック。最後に「Generate Free Video」❶をクリックしましょう。

④ 動画の完成メールを確認する

動画の作成が完了すると、入力したメールアドレスに「Your AI video is now ready」という件名のメールが届きます。メール内にある「Watch your AI video」というリンク❶をクリックします。

⑤ 完成した動画を再生する

アバターが用意した台本を読み上げる動画を再生できます。他のアバターを利用したりより長い動画を作成したいなら、有料プランに加入しましょう。

Synthesia

● アバターが用意した台本を読み上げる

　テンプレートを選択して台本を入力するだけで、アバターが台本を読み上げる動画を生成できるサービス。デモ版はアカウント登録不要で試すことができます。月額有料のプランでは、60以上のアバターと120以上の言語と音声で、ひと月あたり10分までの動画を生成できるプランなどがあります。

Chapter

6

クリエイティブ・
創作
アイデア

01 小説を創作する

keyword:AIのべりすと

◉ 冒頭の数行だけで小説が完成

　小説を書くなどのクリエイティブな活動は、AIには難しいだろうと考えられてきました。しかし現在では、自然なクオリティーの文章で小説を創作してくれるAIサービスがあります。

　ここで紹介するのは、「AIのべりすと」（https://ai-novel.com/index.php）というサービスです。無料で試すことができます。

　使い方は簡単です。小説の冒頭の数行を入力して、「デフォルト（AIに好きに書かせる）」、「セリフ（台詞を優先）」、「ナラティブ（地の文を優先）」の3つの出力形式のうち、いずれかを選んで文章を生成してもらうだけです。「続きの文を書く」をクリックすると続きを書いてくれます。

① 「小説モードではじめる」をクリック

AIのべりすとにアクセスしたら、「小説モードではじめる」❶をクリックします。ユーザー登録不要で、無料で試すことができます。

小説モードではじめる　↘　❶

② 小説の書き出しを入力する

小説の書き出しを入力し①、出力モードを「デフォルト」「セリフ」「ナラティブ」から選択したら②、
「続きの文を書く」③をクリックします。

③ 小説が作成され、さらに続きを書ける

小説の書き出しが数行追加されました。「続きの文を書く」①をクリックすると、さらに続きの文章が
作成されます。

④ 文章スタイルの設定を調整する

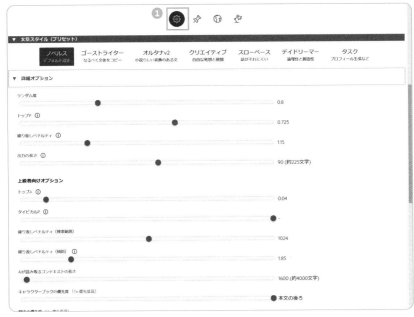

歯車ボタン❶をクリックすると、文章スタイルの設定画面が表示され、生成される文章の傾向を「ノ
ベルス」「ゴーストライター」などの7タイプおよび「カスタム」から選択できます。それぞれのタイプ
ではパラメータを細かく調整できます。

COLUMN

AIのべりすと

◉ AIが物語の続きを書いてくれる

　　最初の数行を書き出せば、あとはAIが勝手に物語の続きを生成してくれる
国産AIサービス。基本無料で利用できますが、有料会員に登録すれば、専用
サーバーを利用できたり、AIの文字認識量が増えます。月額有料の「ボイジ
ャー」、「ブンゴウ」、「プラチナ」というプランが用意されています。

COLUMN

Chapter 6

02 様々なロゴを制作する

keyword:Looka

◎ 質問に答えるだけで理想のロゴが完成

　自分の商品やサービス、ブランドを立ち上げる際はロゴが必要になります。デザインセンスがあれば自分で作ることも可能でしょうが、一般的にはなかなか難しいものです。デザイナーに制作を依頼するにしても、自分のイメージをしっかり伝えないと、思い通りのデザインには仕上がりません。

　しかしロゴ作成サービスの「Looka」（https://looka.com/）を利用すれば、いくつかの質問に答えるだけで簡単にロゴを作成できます。

　作成したロゴをダウンロードするには有料プランの加入が必要ですが、作成自体は無料でできます。とりあえずロゴのアイデア出しを行いたい場合など、気軽に試すことができます。

　また、対応サブスクリプションを契約することで「Brand Kit」という様々な用途に使えるロゴのデザインを入手できます。作成したロゴをベースにして、名刺やチラシ、TシャツのロゴやSNS投稿用の画像、請求書などのデザインが提案され、すぐに作成できます。

① 会社名やブランド名を入力する

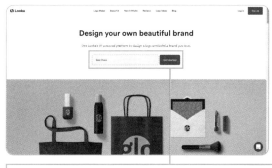

Lookaにアクセスしたら、入力欄に会社名やブランド名を入力します❶。日本語のロゴは作成できないため、英数字で入力し、「Get started」❷をクリックします。

② 会社やブランドの業種を選択する

続けて会社やブランドの業種を英語で入力します❶。文字の入力を開始すると候補が表示されるので、クリックして選択することが可能です。入力したら「Continue」❷をクリック。

③ 好みのロゴの雰囲気を選択する

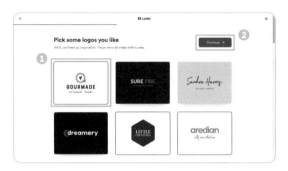

さまざまなロゴのタイプが表示されるので、好みのロゴをいくつか選択し❶、「Continue」❷をクリックします。選択したロゴの雰囲気に近いロゴが生成されるようになります。

④ 好みの色合いを選択する

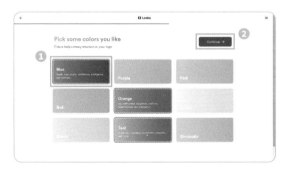

ロゴに使いたいカラーをいくつか選択し❶、「Continue」❷をクリックします。

⑤ 必要に応じてスローガンを入力する

会社名と、必要であれば会社やブランドの説明を補うスローガンを追加入力して❶、「Continue」❷をクリックします。

⑥ 好みのシンボルを選択する

業種に関するシンボルがリストアップされるので、ロゴに反映したいシンボルをいくつか選択して❶、「Continue」❷をクリックします。

⑦ 生成したロゴの中から希望のロゴを選択

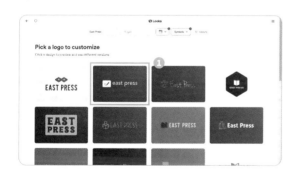

オリジナルのロゴが生成されました。採用したいロゴを選んでクリックしましょう❶。

あとからでもロゴのレイアウトやカラーは自由に変更でき、納得いくまでデザインをカスタマイズできます。ただし、生成したロゴをダウンロードするには有料プランの登録が必要です。

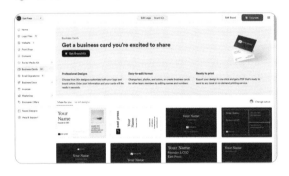

有料サブスクリプションの「Brand Kit」または「Brand Kit Web」プランに加入すると名刺やWebサイト、請求書などのデザインも作成できます。

COLUMN

Looka

● 会社やブランドのロゴを自動生成

　質問に答えるだけで会社やブランドのロゴを生成できるサービス。ロゴの作成までは無料ですが、ダウンロードは有料です。「Basic Logo Package」は1回20ドルでロゴをひとつダウンロード可能。「Premium Logo Package」は1回65ドルで複数のロゴをダウンロードできデザインも自由に編集できます。サブスクリプションだと、年額96ドルの「Brand Kit Subscription」は複数ロゴのダウンロードやデザインの変更も自由に行えます。

COLUMN

ポッドキャストを効率的に作る

keyword:Podcastle

◉ 自分の声でテキスト・音声コンテンツを作成

　近年、音声メディアが一部で注目されており、ポッドキャスト（スマホやパソコンから視聴できる保存型の音声コンテンツ）を配信する人も増えてきました。そんなポッドキャストの配信をより効率的に行えるAIサービスに「Podcastle」（https://podcastle.ai/）があります。

　Podcastleでは、複数人によるオンライン収録や、音声の書き起こし、テキストの音声変換、ノイズの除去、テキストを入力して自分の声を使ったコンテンツを生成（リボイス）といった作業を行えます。

　特にリボイス機能は便利です。テキストを入力するだけで自分の声で音声コンテンツを生成してくれるため、間違いを防ぐことができ、言葉を追加したい場合も、収録し直さなくて済みます。ただしリボイス機能を利用するには「Pro」プランの加入が必要で、日本語は非対応です。英語の文章を70個読み上げて自分の声を登録すれば、24時間以内に自分の声の音声データが生成されます。

① ユーザー登録を済ませる

「Sign up-it's free」❶をクリックし、メールアドレスとパスワードを入力してユーザー登録を済ませましょう。Googleアカウントやacebookアカウント、Apple IDで認証することもできます。

② 「My Digital Voices」をクリックする

リボイス機能を使いたい場合は、あらかじめ「Upgrade Plan」をクリックして「Pro」プランに登録しておきましょう。登録を済ませたら、左メニューで「My Digital Voices」❶を選択し、「Create digital voice」❷をクリック。

③ 文章を読んで自分の声を記録

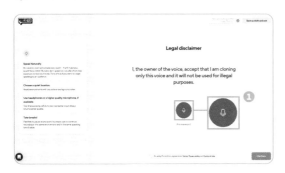

自分の声を登録するのに、70個の英文を録音する必要があるので、マイクボタン❶をクリックして表示された英文を読み上げましょう。すべての録音が完了したら、24時間以内に自分の声のDigital Voiceが作成されます。

④ 「Revoice」をクリックする

Digital Voiceが完成したら、自分の声の横にある「Revoice」❶ボタンをクリックしましょう。

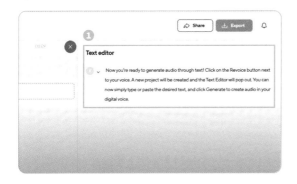

新規プロジェクトが作成され、Text Editorが表示されます。ここに、読み上げてほしいテキストを入力しましょう❶。

あとは「Generate」❶ボタンをクリックすれば、自分の声で入力したテキストを読み上げる音声コンテンツが生成されます。

COLUMN

Podcastle

⬤ ポッドキャストに関する様々な作業を短縮

　ポッドキャストコンテンツを手軽に作成できるAIサービス。無料版でも複数人によるオンライン収録や音声編集が可能ですが、月額有料プランに登録すると文字起こしやAI音声によるテキスト読み上げが可能になります。さらに、テキストから自分の声を使った音声コンテンツを制作できるリボイス機能が使える有料プランもあります。

COLUMN

ミームマーケティングの素材を作る

◉ 自分で生み出したミームを流行らせよう

　「ミーム（meme）」とは、インターネット上で拡散されて流行る、ネタのようなものです。日本では漫画やアニメの印象的なセリフやシーンが多用された結果ミーム化するパターンが多いですが、海外でも同様に画像や動画がミームとして拡散される文化があります。

　ミームは一般的に、写真・動画に皮肉やジョークを入れて面白くしたものです。わかりやすい皮肉やジョークで人々の感情に訴えかけ、SNSなどで拡散されます。その結果、マーケティング効果を生み出すこともあります。

　そんなミームを手軽に自動生成できるAIツールが「Supermeme.ai」（https://www.supermeme.ai/）です。日本語にも対応しており、テキストを入力するだけで雰囲気にあったミーム画像やgifが出力されるので、広く流行りそうなミームを生み出してみましょう。

① ユーザー登録を済ませる

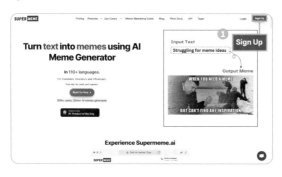

Supermeme.aiにアクセスしたら、右上の「Sign Up」❶をクリック。メールアドレスを入力してユーザー登録を済ませましょう。Googleアカウントで認証することもできます。

② 言語を日本語に変更しておく

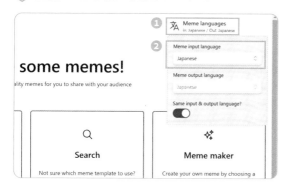

メイン画面が開いたら、ミームを作成する際の言語を日本語にします。右上の「Meme Languages」❶をクリックし、「Meme input language」を「Japanese」に変更します❷。

③ ミームの作り方を選択する

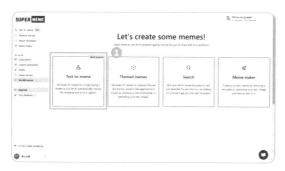

ミームを生成する方法として、「Text-to-meme」(テキストからミームを生成)、「Themed memes」(人気テーマのミームを生成)、「Search」(感情や行動をキーワードにミームを生成)、「Meme maker」(画像とテキストをアップして独自のミームを生成)が用意されています。ここでは「Text-to-meme」を選択❶。

④ 作りたいミームの内容を入力

テキストは日本語で入力できます。ここでは入力欄に「ChatGPTの使い方に悩んでいる」と入力し❶、「Generate」❷をクリックします。

⑤ ミームが生成される

入力したテキストが使われたミームがいくつか生成されました。ミームの生成にはクレジットを消費しますが、無料版でも20クレジットが付与されます。生成した画像はダウンロードや編集も可能です。日本語だと画像からテキストがはみ出す場合が多いので修正しておきましょう。なお、テキスト入力欄の下にあるスイッチを「Images」から「GIFs」に切り替えると、GIF画像も生成できます。

COLUMN

Supermeme.ai

● テキストだけでミームを自動生成

　テキストを入力するだけで、その雰囲気に合ったミーム画像を生成できるサービス。無料版では20クレジットが付与され、生成した画像にはロゴの透かしが入ります。月額9.99ドルの「Solo」プランでは毎月100クレジットが付与され、透かしが消えます。月額34.99ドルの「Startup」プランではさらにクレジットの制限がなくなります。企業向けプランも用意されています。

COLUMN

Chapter 6

05 NFTアートを活用した マーケティング施策を考える

keyword：ChatGPT、Leonardo.ai

唯一無二のNFTアートを作って活用する

　NFTとはNon-Fungible Tokenの略で、日本語では「非代替性トークン」といいます。簡単にいうと、他とは取り替えることができない唯一無二のデジタルデータ（資産）のことです。従来、デジタルデータは見た目が同じコピーを見分けることが困難でしたが、NFTによって本物とコピーを区別できるようになりました。そのため、近年NFTアートなどが注目されてきました。

　NFTアートは誰でも作成できます。しかも、Leonardo.ai（P19）などの画像生成AIを使えば、独自のアートを短時間で作成することができます。さらに、ChatGPT（P22）を活用することによって、NFTアートを活用したマーケティング施策を効率的に考えることもできます。

　自分たちだけでは思いつきにくい有効なマーケティング施策も、ChatGPTとともに検討して実施してみましょう。そして、NFTを活用した取り組みをもっと世に広めましょう。

　ここでは、Leonardo.aiで画像を生成して、NFTアートとして出品する方法や、ChatGPTに提案されたマーケティング施策に活用するまでの流れをざっと紹介していきます。

あなたはNFTとマーケティングのプロです。
NFTを活用した、Z世代向けサウナ施設のマーケティング施策を考えてください。

NFT（非代替性トークン）を活用したZ世代向けのサウナ施設のマーケティング施策を計画する際には、Z世代の嗜好やデジタルネイティブとしての特性を考慮して取り組むことが重要です。以下のような施策を考えてみました：

1. デジタルアートと連動したサウナ体験

* **NFTアートギャラリー**: サウナ施設内にデジタルアートギャラリーを設置し、NFTとして売買可能なアート作品を展示。来訪者はそのアート作品を購入することも可能です。
* **AR体験**: サウナ施設で利用可能なARアプリケーションを開発し、来場者が特定のアート作品や体験をAR通じて楽しめるようにします。

2. サウナトークン

* **リワードプログラム**: サウナ施設が独自のトークンを発行し、来場者がそのトークンを集めてリワードや割引を獲得できるシステムを開発します。
* **限定アクセス**: NFTトークンを所有している人だけが利用できる特別なサウナ室やイベントを提供します。

3. ソーシャルメディアとの連動

* **ソーシャルメディアキャンペーン**: サウナ施設での体験を共有できるSNSキャンペーンを開催し、NFT報酬を提供します。
* **バーチャルツアー**: 施設内でのバーチャルツアーを提供し、特定のNFTを持つユーザーに限定コンテンツや体験を提供します。

4. コラボレーションとパートナーシップ

* **アーティストコラボ**: 人気アーティストやインフルエンサーとのコラボレーションを行い、限定的なNFT商品や体験を提供します。
* **ブランディング**: NFTを用いた限定的な商品やアパレルを開発し、ブランディング効果を高めます。

5. エデュケーションとワークショップ

* **NFTワークショップ**: NFTやブロックチェーン技術に関するワークショップを開催し、来場者が新しい知識を獲得できるプラットフォームを提供します。
* **クリエイティブセッション**: アーティストとのコラボレーションを通じて、NFTアートの創造やトークン経済に関するセッションを提供します。

これらの施策はZ世代のデジタルリテラシーとクリエイティブな精神を刺激し、サウナ施設への訪問をより魅力的な体験にすることが可能です。また、施設自体も新しい収益源を開拓することができます。

まずはChatGPTに、NFTアートを活用したマーケティング施策を提案してもらいましょう。ここでは、ChatGPTに「NFTとマーケティングのプロ」という役割を与えて、「NFTを活用したZ世代向けサウナ施設のマーケティング施策を考えて」と依頼します。

② 画像生成AIでアートを生成

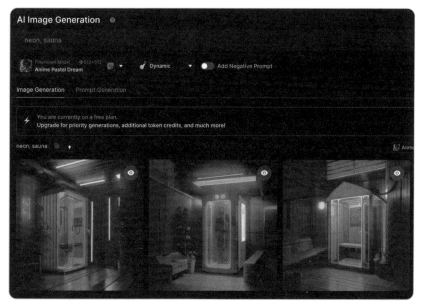

次に、マーケティグ施策に沿ったNFTを発行するために、画像生成AIでアートを生成しましょう。ここではP19で紹介したLeonardo.aiで「neon、sauna」といったプロンプトを入力し、近未来風のサウナの画像を生成しました。

③ MetaMaskを用意する

NFTを発行するために、Meta Mask（https://metamask.io/）という暗号資産やNFTなどを保管・管理するアプリを用意しましょう。細かい手順の説明は割愛しますが、Secret Recovery Phraseを忘れてしまうとMetaMaskのアカウントが復元できなくなり、MetaMask内の全ての資産を失うことになりますので、特に注意してください。

④ OpenSeaでNFTアートとして出品

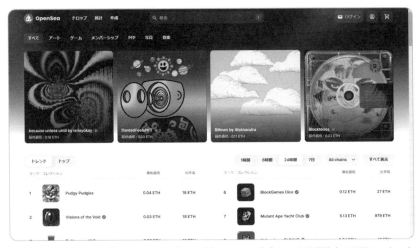

画像生成AIで生成した画像を、OpenSea（https://opensea.io/ja）という世界最大のNFTマーケットプレイスで、NFTアートとして出品しましょう。フリマアプリのメルカリやヤフオク!と同じように出品することができます。

⑤ ChatGPTにさらに具体的に提案してもらう

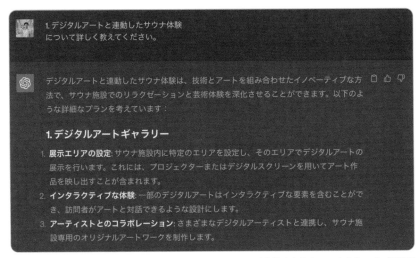

ChatGPTに提案された、NFTアートを活用したマーケティング施策を実施していきましょう。「（提案された施策）について詳しく教えて」のように追加で質問すると、提案された施策について、より細かな内容を詰めたりプランを提案してくれます。

06 簡単なプログラムを実行する

keyword:Bard、Replit

プログラムも文章生成AIが作ってくれる

「プログラミング」というとちょっと難しいイメージを持っている人も多いと思います。しかしコードを生成できるAIの登場で、以前に比べてプログラミングのハードルは低くなってきました。

ここでは、Bard（P34）を使って生成した簡単なプログラムを、Replit（https://replit.com/）というオンライン統合開発環境（開発環境を構築しなくともブラウザでプログラミングを行うことが可能なサービス）で実行する流れを解説します。

たとえばフィボナッチ数列（「どの数字も前2つの数字を足した数字」という規則の数列）を計算するコードを生成したい場合は、まずBardに「フィボナッチ数列を計算するコードをPythonで書いて」といった感じで頼みましょう。生成されたコードをBardの共有ボタンからReplitにエクスポートすることで、すぐにプログラムを実行できます。

① Bardでコードを生成する

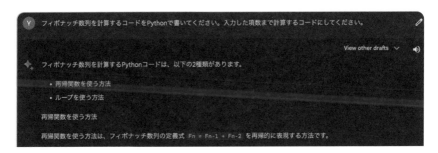

```Python
def fib_r(n):
    if n <= 1:
        return n
    return fib_r(n - 1) + fib_r(n - 2)


def main():
    n = int(input("項数を入力してください:"))
    print("フィボナッチ数列:")
    for i in range(n + 1):
        print(fib_r(i))


if __name__ == "__main__":
    main()
```

Use code with caution. Learn more

このコードの実行結果は、以下のようになります。

```
項数を入力してください:10
フィボナッチ数列:
0
1
1
2
3
5
8
13
21
34
```

ループを使う方法

ループを使う方法は、フィボナッチ数列の定義式 $F_n = F_{n-1} + F_{n-2}$ をループで計算する方法です。

```Python
def fib(n):
    fib_list = [0, 1]
    for i in range(2, n + 1):
        fib_list.append(fib_list[i - 1] + fib_list[i - 2])
    return fib_list


def main():
    n = int(input("項数を入力してください:"))
    print("フィボナッチ数列:")
    for i in fib(n):
        print(i)


if __name__ == "__main__":
    main()
```

Use code with caution. Learn more

このコードの実行結果も、上記と同じです。

どちらの方法でも、フィボナッチ数列を正しく計算することができます。ただし、再帰関数を使う方法は、ループを使う方法よりも計算量が大きいため、項数が大きくなるほど遅くなります。

ここでは、Bardに「フィボナッチ数列を計算するコードをPythonで書いてください」と依頼しました。「入力した項数まで計算するコードにしてください。」という指示も追加しています。すると、再帰関数を使う方法とループを使う方法の二つのコードを生成してくれました。

② Replitに共有する

続けて、生成したコードをReplitに共有します。Bardの生成結果の下部にある共有ボタン❶をクリックし、「Replitにエクスポート」❷をクリックしましょう。

③ Replitでプログラムを実行する

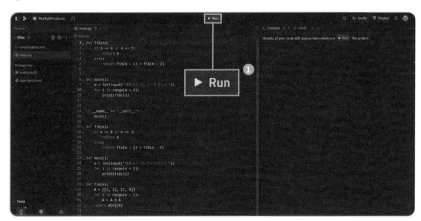

Replitを利用する際にはReplitへのログインが必要になります。ログインを済ませると、Bardで生成したコードが入力された画面が開くので、上部の「Run」ボタン❶をクリックしましょう。フィボナッチ数列を計算するプログラムが実行されます。

④ 項数を入力する

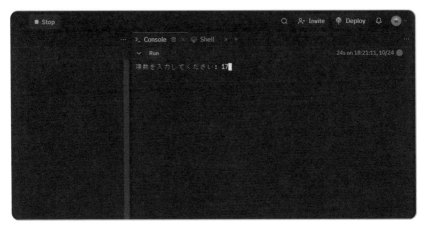

プログラムが正常に実行されると、右側の欄に「項数を入力してください：」と出るので、好きな数を入力します。ここでは「17」と入力してEnterキーを押します。

⑤ 計算結果が出力される

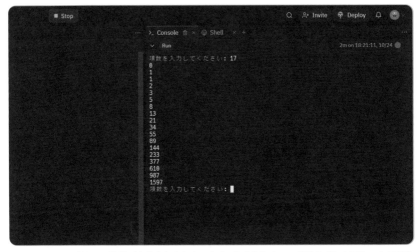

17項までのフィボナッチ数列が出力されました。なお、生成されるコードが必ずしも正しいとは限らない点に注意しましょう。仕事などに利用する際は、すべてのコードを慎重にテストし、エラー、バグ、脆弱性がないかを確認することをおすすめします。

おわりに

　本書では、難しいAIの仕組みの解説はできるだけ省き、あなたが今すぐにでもお仕事や日常生活に役立てることができる生成AIの活用方法を幅広く紹介しました。何か使えそうなものは見つかりましたか？例えば、「パワポ資料を数分で作る」なんてことは一昔前では現実味のないことでしたが、AIの力を借りて今では誰でも簡単に実現することができます。これは物凄く大きな進歩です。

　生成AIの誕生により、Before 生成AIの時代よりも知識量や言語能力などの重要性が相対的に下がりました。そのため、暗記偏重の教育ではますます太刀打ちできなくなったと言えます。

　一方で、人間による人間らしい発想力と、その発想を実現するために最適なツールを選んで上手に活用するスキルは、今後ますます求められます。発想力を持ち、AIを使いこなせる人はさらに輝ける一方、ChatGPTやMidjourneyでもできることしかできない人の市場価値は、残念ながらどんどん低くなってしまうでしょう。

　かくいう私も、今後のAIの発展が心底楽しみであると同時に、自分のスキルが大して価値を持たなくなる未来がそんなに遠くはないのかもしれないと思うこともあります。ここまで本書を読んでいただいたあなたも、もしかしたら同じように思っているかもしれませんね。

　しかし、私はどちらかというと楽観的です。というのも、私やあなたのようにどちらかというと勉強熱心な人間がAIに代替されるような世界になれば、ほとんどの人がAIに代替されると思うからです。その時には、ベーシックインカムが導入され、生きるため・お金を稼ぐために働かなければならないという時代ではなくなっているかもしれません。

松村雄太

AIなどに関するお役立ち情報を日々無料メルマガで配信しています。ご興味あればご覧ください！また、ご感想、お問い合わせはLINEまたはメールでいただけますと幸いです。

[公式メルマガ]
https://tr2wr.com/lp

[公式 LINE]
https://lin.ee/WPBREwF

ID：@927wtjwr

[Instagram]
@tabisakka

[メール]
investor.y11a@gmail.com

［著者略歴］

松村雄太（まつむら・ゆうた）

Web3総合研究所 代表。早稲田大学 招聘研究員。
NFT、メタバース、生成AIなどについて学べるコミュニティ「AI&Web3アカデミー」を主宰。
埼玉県立浦和高校、早稲田大学商学部卒。新卒で外資系IT企業に入社し、1年間のインド勤務を経験。その後、外資系コンサルティングファームを経て、メディア系ベンチャー企業にて日本の大手企業向けに、国内外のスタートアップやテクノロジートレンドのリサーチ・レポート作成を担当。近年はWeb3、メタバース、生成AIに注目し、書籍の執筆や監修、講座の作成や監修、講演、寄稿などの活動に力を入れている。
著書に『図解ポケット NFTがよくわかる本』、『図解ポケット メタバースがよくわかる本』（以上、秀和システム刊）、『一歩目からの ブロックチェーンとWeb3サービス入門』（マイナビ出版刊）、監修書に『図解ポケット 画像生成AIがよくわかる本』（秀和システム刊）、『知識ゼロから2時間でわかる＆使える！ChatGPT見るだけノート』（宝島社刊）など多数。

運営サイト「**Web3総合研究所**」：https://crypto-ari.com
公式メルマガ：https://tr2wr.com/lp
Instagram：@tabisakka

執筆協力	西川希典
ブックデザイン	金澤浩二
校　　　正	東京出版サービスセンター

ビジネス・暮らしに活かせる
ChatGPT・生成AI活用アイデア大全

2023年12月28日　初版第1刷発行

著　者	松村雄太
発行人	永田和泉
発行所	株式会社イースト・プレス
	〒101-0051
	東京都千代田区神田神保町2-4-7 久月神田ビル
	TEL：03-5213-4700　FAX：03-5213-4701
	https://www.eastpress.co.jp
印刷所	中央精版印刷株式会社